強く生きるために

美輪明宏

強く生きるために

はじめに

どう生きていくべきか。何を信じていけばいいのか。
多くの人が答えを探して立ち迷っています。
しかし、いまの日本で、信じるに値するものがどれほどあるでしょう。
いい学校に行き、いい会社に入ることだけを子供に求める親や教師。教育のあり方。
とげとげしく、けたたましいノイズにあふれた街並み。
センセーショナリズムだけを追い求めた醜悪な映画、音楽、テレビ、本、雑誌。
自己保身しか考えない政財官界人たち……。
これらは、すべてニセモノです。まがいものです。

すべての価値観がお金を基準に測られ、美しさや温かさが入り込む余地がないのです。

優しさや希望が生まれるはずもないのです。


いまこそ、本物とは何かに気づかなければならないときなのです。

世間に蔓延（まんえん）する、病んだ常識にとらわれていてはなりません。

本物の文化、本物の愛、本物の美意識を知り、真理のもとに、本物の価値観を自分自身で築き上げていくのです。

自分の中に『本物』があれば、少しくらいのことではビクともしない心の強さが生まれてきます。

「信じるものがない」と嘆く前に、自分を信じられるようになるのです。

この本には、私がいままで自分で見て、感じて、戦って得てきた真理を込めたつもりです。

すべての人が、なんらかの生きるヒントを見いだせるよう、個人の相談に答える形の中に、

普遍的なメッセージを込めるよう意識しました。

お部屋の中でもバッグの中でも、いつもあなたのそばに置き、つらいとき、困ったときに、お手に取り、何度も読み返し、咀嚼(そしゃく)して、私の言葉をあなたの中に取り込んでいただければと思っています。

あなたが生きていくうえで、この本がなんらかの助けになるのなら、これほどうれしく、幸福なことはありません。

目次

2 なぜ、生きるのか 49

3 人生は戦いの連続　79

●人生相談●

4　人と国を救うのは文化・美意識　113

●人生相談●

6 節度ある対人関係とは 165

7 理智があなたの武器になる

●人生相談●

8 ままならないのが人生の常 225

装幀・坂井智明　　写真・山田眞三

1 美しい恋、崇高な愛

英語では〝love〟、フランス語では〝amour〟、日本語では〝恋愛〟とひとくくりになっているけれど、恋と愛とはまったくの別物です。また、性欲・快楽と、恋愛とは、これまた違います。

恋とは「あなたが好き。だから、会ってほしい。私を見てほしい。抱いてほしい」と、何かをしてほしい気持ちを指します。自分本位の感情ですね。

愛は、「あなたが好き。だから、あなたが幸せでいることが私の幸せ。ほかには何もいらない」と、まず相手の幸福を思う気持ちを指します。つまり、相手本位の感情なのです。相手のことを思うわけだから、与えっぱなしで見返りを求めないのが、愛なんです。また、相手の幸せを思うからこそ、身を引くこともあれば、厳しく突き放すこともある。

でも、現代の日本を見渡してみると、「もっと会って。もっと私を見て。もっと抱いて」と、要求ばかりする人のオンパレード。そういう人は、「これだけ思っているのに、どうして私が望むとおりにしてくれないの?」と、ひとり相撲をとり、自分の首を絞めてしまうのです。相手に、「要求ばかりで、うざったいやつだな」と、捨てられてしまうのです。

惚れさせてこそ、恋の勝者

恋は、人間だけに与えられたプレゼントです。動物には、発情期はあるけれど、それは恋とは違います。人間と動物との違いは、発達した知性があるかどうか。つまり、知性がないと、恋はできない、ということです。恋は、知性を武器に、相手との駆け引きを楽しむゲームです。「会ってほしい。見てほしい。抱いてほしい」といいたくなる気持ちをぐっと抑えて、まず相手のほうから「会いたい。見つめたい。抱きたい」と思わせることが、ゲームに勝つことを意味するのです。

容姿容貌に優れていれば、お声はたくさんかかるでしょう。外見のいい女を抱きたい男、外見のいい男に抱かれたい女は、たくさんいますから。でも、話してみたら中身はカラッポでは、相手だってすぐに飽きがくる。数か月もしないうちに、ほかの人に乗り換えられてしまいますよ。あなたの周りにもいるんじゃないでしょうか。次々にお付き合いする相手を変えて、そのたびに、「ふられた」「ダメになった」と、愚痴をこぼしているような人が。そうならないように、大切なことを教えてあげましょう。

相手を長くつかまえておきたいのなら、セックスの魅力、テクニックも大事だけれど、それ以外の部分にも磨きをかけなければいけません。自分に似合うお化粧や髪型、ファッションを見つけること。女らしい美しい言葉遣いができること。本や映画の話題から社会経済の

ような時事問題まで、臨機応変に、打てば響くような会話ができること。立ち居振る舞いが美しく、ふんわりと場を包み込むような上品な奥ゆかしさがあること。料理や裁縫の腕が確かなこと……。つまり、人間として基本ができたうえに、カジュアルやスポーティー、ドレッシーにと、バラエティーに富んでいること。

例えば、「ねえ、君」なんて声をかけられたとき、「なにー?」なんてダミ声で答える女と、鈴の鳴るような声、または低くても艶のある声で「なぁに?」と答える女、男はどちらを選ぶか、いわずもがなでしょう。背広のボタンが取れそうなとき、サッと縫いとめてくれ

ササッと料理の2、3品も作って出せる女を、いまの時代、本当

いるんですよ。

自分の中にある知識を総動員しなければ、恋の勝者にはなれません。足りないところがあるのなら、どんどん吸収していかなければダメ。そして、相手が何を求めているか読み取って、夢中にさせるのです。

特に最近は、「好きよ、好きよ」と連呼して、洋服を脱ぐことだけが恋の条件だと勘違いしている人がたくさんいます。だから、〝本当の〟恋の条件を学んで、吸収した人が、ひとり勝ちになれる時代なのです。

いまこそ、無償の愛に目覚めるとき

歌やお芝居を通じて、私が届けたいのは〝愛〟。無償の愛です。

いまの日本では、〝無償の愛〟と聞いても、ピンとくる人のほうが少ないかもしれませんね。特に若い人たちは、親の代から〝お金こそ正義〟と教え込まれて育っています。愛こそが人の心を救うものだとは教えていないんです。

『黒蜥蜴』『双頭の鷲』『椿姫』、エディット・ピアフの生涯を演じた『愛の讃歌』など、私の舞台を見て、多くのお客様が泣いてくださる。もちろん、それはとてもありがたいのだけれど、「あんな生き方は私にはできない」という方が非常に多い。求める前に諦めてしまうなんて、もったいないと思いませんか？　「私もあんなふうに生きたい」。そのためには、何をすればいいのだろう」と思うこと、念ずることこそ第一歩なのです。

エディット・ピアフ　～その愛の生涯～

私がもっとも尊敬する芸術家のひとり、エディット・ピアフの名曲『愛の讃歌』は、日本でも有名ですね。でも、日本語の詞は、ピアフ自身が作詞したものとは、意味がずいぶん違

います。ひどすぎます。だから私は、いつも自分で訳した歌詞の意味をみなさんに紹介して
から、オリジナルのフランス語で歌うようにしています。

『愛の讃歌』　エディット・ピアフ作詞　美輪明宏訳詞
青く高い空が頭の上に落ちてきたって
　この大地が割れてひっくり返ったって
世界中のどんな重要な出来事だって
　あなたのこの愛の前にはどうってことありゃしない
朝　目が覚めたときあなたの温かい掌の下で
　あたしの身体が愛に震えている　毎朝が愛で満たされている
あたしにはそれだけで充分

もしあなたが望むんだったら　この金髪だって染めるわ
もしあなたが望むんだったら　世界の涯だってついて行くわ
もしあなたが望むんだったら　どんな宝物だってお月様だって盗みに行くわ

もしあなたが望むんだったら　愛する祖国も友達もみんな裏切って見せるわ
もしあなたが望むんだったら　人々に笑われたってあたしは平気
どんな恥ずかしいことだってやってのけるわ

そしてやがて時が訪れて　死があたしから
　あなたを引き裂いたとしてもそれも平気よ
だって必ずあたしも死ぬんですもの
そして死んだ後でも二人は手に手を取って
あのどこまでもどこまでも広がる真っ青な空の碧の中に座って
　永遠の愛を誓い合うのよ
何の問題もないあの広々とした空の中で
そして神様もそういうあたし達を
永遠に祝福してくださるでしょう

いかがですか？　日本語の歌詞では知ることができなかった、宇宙的な広がりのある、深

く、大きな愛が描かれているでしょう？

相手が本当に望むものを何もかも与えて、見返りは何も求めない。ただ、あなたがこの世に生きていてくれさえすれば、それが何よりの見返り、それだけでいいという姿勢。ピアフが素晴らしいのは、歌だけでなく、自分の人生でも、この姿勢を貫いたことです。

イブ・モンタンや、最後の夫だったテオ・サラポには、愛とともに、優れた歌手になるためのすべてを教え、妻子があったマルセル・セルダンには、愛を与えるだけで、何も求めなかった。また、セルダンには内緒で彼の妻子に仕送りをしてあげていた思いやり。同時に、多くの人たちのため、病弱な身体にムチ打って歌い続けました。

与える喜びこそがあなたを救う

私も、多くのボーイフレンドたちに、与えっぱなしの気持ちで接してきました。「相手の幸せのためにそうすることが、私の幸せだから」と思えるから、与えた時点で心が満たされるのです。すると不思議なもので、今度は相手も私に与えっぱなしでいようとする。お互いの愛に感謝しあうようになり、ますます愛情は深まる……。自分の気持ちを変えることで、清らかな気持ちはどんどん大きくなっていくのです。

「あれ買って。これ買って。もっと会いにきて。もっと抱いて」と、相手に要求ばかりして、「叶(かな)えてもらえない」と不平不満をいっている人は、いつまでたっても救われません。最初のうちは、セックスしたい一心で、相手だってあれこれということを聞くけれど、肉欲が満たされたら捨てられてしまいますよ。捨てられても、自分の足りないところがわかってないから、恨みつらみでますます醜くなるだけです。

これを読んでいる人たちは、もうおわかりですね。「この人は、僕の人生にどうしても必要だ」と思わせる女になるためには、顔と身体だけではダメ。弾んだおっぱいやピチピチした肌は、年を重ねれば消えてしまう。すぐに飽きられてしまうもの。若さとセックスを引き算した後に、何が残るかが問題なのです。若さがなくなったら何も残らなくなるような女など、ライバルと思う必要はありません。同時に、女に若さしか求めない薄っぺらな男も、ほっておけばよろしい。〝類は友を呼ぶ〟じゃないけれど、恋に必要な知性、愛に必要な心映えをしっかり高めていけば、求める男性にきっと出会えます。

Q1 だらしない彼に愛想が尽き、親友への思いに胸を焦がしています

付き合って10年になる恋人は現在無職で、私の稼ぎをあてにする状態。もうダメと感じていたところ、身寄りもなく、ひとりで頑張ってきた男性が病気で入院しました。親友として付き合っていましたが、自分の内臓をえぐってでも痛みや苦しみをぬぐってあげたいと思い、自分の気持ちに気づきました。彼は「親友でいたい。でも俺は女っ気ないし、君のことも気になっていた」といいます。彼のそばにいたいのです。彼の言葉を信じようとするのは間違いですか。

（30歳・美容師）

あら、正直でいいですね。働く気がなくて、なんでもかんでもおんぶにだっこなんて甲斐性なしなら、誰だってしゃくに障るし、顔も見たくなくなるし、愛想も尽きるもの。もうダメだと思うのもわかりますよ。まだ結婚してるわけでもない、子供がいないのも幸いだし、別れりゃいいじゃない。彼に対して、金銭的に大きな借りがあるわけでもないんでしょ。悪いことでもなんでもない、別れて正解です。

まぁ、あなたは「そんなつもりはなかった」というだろうけど、たぶん彼のことを甘やかしちゃったのね。それは、あなたの責任でもあるんですよ。しっかり者の女には、ぐうたらな男がついてしまうもの。男に生活力があると、女が浪費家になっちゃうようなものね。あなたが仕事に燃えてるのを見て、彼も「この女なら自分がラクできるな」なんて考えたのでしょう。

世の中の〝正負の法則〟は、凸と凹でぴったりはまるようになっているけれど、あなたたちも、その法則にあてはまったということ。そうはいっても、だらしない男に嫌気がさすのも当たり前のことだしね、別れたいと思う気持ちも当然のことです。

古い彼とは別れてすっきりすればいいけど、問題は新しい彼のほうよね。あなたは「自分の内臓をえぐってでも彼の助けになりたい」っていうほど熱烈に思い詰めてる。でも、向こ

うは「ずっと親友のままでいたい」っていってるんでしょ。あなたの彼に対する感情と、彼のあなたに対する感情は、種類が違いますよ。あなたは恋人として付き合いたいと思ってるけど、彼にはいまのところ、その気持ちはありません。もちろん、友情はあるだろうけど。女でも、恋愛感情がわかない男に告白されて、「いいお友達でいましょうよ」って、断るパターンは多いでしょ。異性としては魅力を感じないけど、友達としてならって、その彼は思っているんですよ。

それと、もうひとつ考えられる理由は、彼がそう簡単には人に話せない事情があるのかもしれない、ということ。ひょっとしたらゲイかもしれないし。だから女っ気がないし、同性同士の友達としてあなたのことが好きなのかもしれない。でも、それをあなたには話せない、ってだけなのかもしれない。だから「友達のままで」って釘をさした、ってことも考えられる。どちらにしても、彼はあなたを恋人にしようとは思っていません。

彼が本当にあなたのことを〝恋人〟として好きならね、とっくの昔に「いまの男と別れて俺と一緒になってくれ」っていってるはず。大きな病気して、身体も心も弱ってるときに、あなたが優しく接してくれた、その感謝の気持ちであなたと対している、と私は思います。それを勘違いして、あなたがゆき過ぎたら、あなたはつらいし、彼だって困る。どちらのた

めにもなりません。

確かにね、恋情れんれんで、恋する気持ちは誰にも止められないから、私も「やめろ」とはいえないけど、「自分の内臓をえぐってでも」とまで思う相手なんでしょ。「どうして付き合ってくれないのよ」なんて、自分本位にものを考えて、あれこれと詮索（せんさく）するようなマネだけは、よしたほうがいい。本当に彼のことが好きなら、彼が喜ぶ状況のままでいる努力も必要ですよ。彼があなたを恋人として好きになる日が来たら、彼のほうから告白するでしょう。

あなたにすればつらい恋でしょうけど、何もかもがうまくいくような恋だけが恋じゃない。秘するが花、っていうように、誰にもいわずに、自分の心の中だけでセンチメンタルに炎を燃やし続ける恋だって、素晴らしいものなのよ。それも恋愛の醍醐味（だいごみ）のひとつなんだから。

Q2 私を傷つけた男を殺して、私も死ぬ、とまで思い詰めています

優しかった恋人が、私の妊娠を機に信じられないほどひどい男に変わり、子供をあきらめました。別れも考えましたが、彼を愛したこと、子供をあきらめた悲しみ、彼への憎しみが、別れることで消えてしまいそうな気がして、ずるずると続いています。彼にも打撃を与えなければ気がすまないと、彼を殺して私も死ぬことだけを考えています。でも「もう、誰かを愛することはできないかも」という悲しみにも疲れました。明るく生きていきたい、とは思うのですが……。

（36歳・店員）

男とキノコには2種類あるんですよ。食べて身体にいいもの、それから食べると毒になるもの。食べると毒になる男っていうのは、まぁゴミと一緒でね、ゴミを食べちゃったわけだから、そりゃお腹だってこわしますよ。キノコにあたって苦しんでいるのが、いまのあなたってわけね。

それにしても、36にもなって何を情けないことといってるの。ゴミを選んだのもゴミを食べたのも、自分の意思でやったことでしょ。赤ちゃんができたのも、自分が傷ついたのも、もう全部が全部、相手が悪いように書き連ねてあるけど、30もはるかに越えた大人のあなたが「この男だ」って選んだことから始まってるわけでしょ。赤ちゃんだって、あなたが最初に「欲しい」と思ったことから始まってるんじゃない。そこに背を向けているから、相手に対する恨みつらみで頭がいっぱいになっているのです。

自分の責任でもある、ということに正面切って向き合えば、自己嫌悪になったり、さらにつらくなったりするかもしれない、って思ってるのかもしれないけれど、そんなのは逆効果でね、「そういう男を選んだのも自分なんだ」と思えば、あきらめもつくものなのよ。自分にはまったく原因や責任がない、と思い込んでいるから、あなたは身動きがとれなくなってるわけ。ほんの少し、ものの見方を変えるだけで、あなたはラクになれます。自分で自分の首

を絞めながら、「助けてー！」って叫んでいるだけです。

毒キノコ食っちゃったら、そりゃあ身体をこわすし、ヘタすりゃ命取り。でもね、世の中には、おいしくて身体にもいいキノコだってたくさんある。今度はそういうキノコを選べばいいじゃない。毒キノコに縛られたまんまで一生終わるなんて、そんな割に合わない話、ないはずでしょう。

「もう、誰かを愛することはできないかもしれない」

なんて、あなた恥を知りなさい。36なんて、女として熟れ盛りじゃないの。私なんて65歳、しかも男だっていうのに、いまだに20代のボーイフレンドが山ほどいて、うんざりするくらいモテてますよ。まだ36の女盛りが、なぁにを寝言いってるのよ。

神様もよくしたものでね、なんでも最初にいいものを与えてはくれません。最初にいいのが来ちゃったら、「もっといいものがあるはずだ」なんて高望みして、ますます人間ダメになっちゃうから。あなたの場合も、はじめに毒キノコ食べちゃったんだから、次に食べるのがエノキでも、マツタケ食べてるみたいにおいしく感じますよ。

ちょっと顔をあげて周りを見渡せば、男なんてそれこそ掃いて捨てるほど、つくだ煮にするほどいるじゃない。日本だけでも何千万人といる。世界に目を向ければ、それこそ何億で

すよ。その中に、あなたのエノキやシイタケ、場合によっちゃマツタケがいるんだから、神様に「毒キノコ男では、いい勉強をさせてもらいました。だからもう結構。次はちゃんと食べられるのを与えてください」とでもお願いして、彼とは早いとこ縁を切りなさい。赤ちゃんのことにしたって、毒キノコの血が入った子供には、間違いなく苦労させられたはず、と見方を変えることね。

仕事だって持ってるわけだし、男に何もかも依存しきっちゃうような生き方しかできない女じゃないんでしょう。質の高い恋愛は、成熟した人間にしかできないこと。あなたはそれができるんだから、「もう、誰かを愛することはできないかもしれない」なんて寝言いうのはよしなさい。だいたい寝言なんてのは寝てからいうもの。あなたみたいに起きてるときにいうものではありません。

Q3 若い恋人とお金のある元の夫、どちらを選べばいいでしょうか

上の娘が生まれてから、自分勝手で遊び好きな夫と不仲になり、5歳下の男性と愛し合い、彼の子を妊娠しました。彼の「生んでくれ。一緒になろう」との言葉にも、主人にいえず、主人の子として生みました。彼のことを隠したまま、毎日のように離婚を迫り、半ばノイローゼになった主人と半年前に離婚し、再婚を待つ身ですが、最近、夫が復縁を申し込んできました。上の娘が父親っ子で、彼になつかないこともあり、悩んでいます。彼と主人との年収の差は1千万円、現実では愛だけでは生きていけないし……。私の親も、夫も、私の子供が父親が違うことを知りません。

（28歳・家事手伝い）

「どうしたらいいんでしょう、美輪さん」……、知るかっての。いったい私に何をアドバイスしろっていうの？　こんなにひどいことをしている時点で、まったくお話になりません。「セックスは若い男でなきゃイヤ、でも金は欲しいから、それはダンナでなきゃダメ」なんて、いってることがメチャクチャよ。自分の身に振りかかった不幸であるような書き方しているけど、冗談じゃない。あなたはダダをこねてるだけ。だいたい自分がどれだけの人を巻き込んでいるか、考えたことあるの？　亭主に恋人、彼らの親、あなたの両親、何より2人の子供……、みんなあなたのわがままのために大迷惑こうむっている。あなたが不幸なのではない、あなたが不幸にしているのです。あなたは単なる疫病神。災いの権化でしかありません。

ダンナもあなたの両親も、子供の父親が違うことを知らないのね。というより、あなた、いえないんでしょ。これだけのことをやった後でも、まだいいコのままでいたいのね。魂胆が汚いし、ズルいのよ。「あわよくば、まったく悪者にならずに幸せになれるかも」なんて考えているからこそ、こんなことを相談してくるんだろうけど、虫がよすぎる。やりたい放題やって、迷惑かけまくって、無罪放免で祝福されようなんて、そうは問屋がおろしませんよ。あなたの相談は「罪を犯したけど、刑に服さない方法を教えて」って私に聞いているようなもの。自分の意思でやりたい放題やってきたツケが回ってきたの。報いを受けるときが

きたのです。自分でケリをつけるしかありません。

まっとうな人間なら、理性や良心がブレーキかけてしかるべきことでしょう。ブレーキのもとになるのは、人として、女として、母としてのたしなみ。それから「自分は欲望のままに突っ走るケダモノなどではない」というプライド、つまり自尊心ね。あなたはその2つをかけらも持ち合わせていない暴走機関車。犬は叩いてしつけるものだけど、犬のほうがちゃんとしてるくらい。そのうえ、自分がみんなに迷惑かけまくってることの罪悪感など感じることもなく、自分が苦しんでることばかりに陶酔している。何をかいわんやね。

なんでもかんでもやりたい放題やるのが美徳だとする愚かな風潮に染まっちゃってるおバカさん連中が、あなたに限らず、若い子からババアまで本当にたくさんいる。芸能人でもそういうのたくさんいるでしょ。本来このテの人間は退治されるべきなの。ひとつ幸せを手に入れたら、ひとつ諦めなきゃいけないもの。欲をかいたら、結局は〝虻蜂取らず〟になるか『アリとキリギリス』の話みたいに、最後にツケがまわってくるのがこの世の法則。それを忘れてなんでも欲しがった結果のしわ寄せでしょ。自業自得じゃない。なんで私に後始末を頼むのよ。自分のまいた種は自分で刈り取るのがスジってもの。好きなように破滅なさい。

あなたみたいな人は痛い目みなきゃわからない。「こうしなさい、ああしなさい」って答

えてあげるのは逆効果。あなたのためになりません。「好き勝手やっても、誰かがなんとかしてくれる」なんて思ってる人を助けるような酔狂じゃないからね、私も。どう転ぶも、どう破滅するもご自由に。「セックスは若い彼、金はダンナ、将来は子供がなんとかしてくれる」なんて、人生をナメてかかってきたツケを払うときがきたんですよ。父親が違う子供を生んだってことを、亭主にも親にも話して罵倒されるのもあなたの責任。上の子が新しいダンナになつかないまま、彼と長女の仲、子供同士の仲が険悪になるのもあなたの責任。ババアになったとき、子供たちから「無責任なバカ母」と思われて見捨てられるのもあなたの責任。すべてを胸に刻んで、これから生きていけばよろしい。若い彼のことにしたって、「どんなに貧乏でも、爪に火を点してでも一緒に生きていこう」という気も、「私も働くわ」って気もないしね。結局あなたは、金に肉欲、やりたい放題にできる居心地のいい状況が欲しいだけ。彼を愛してるんじゃなくて、彼のセックス、おチンチンを欲しがってるだけなの。誰も愛しちゃいない。あるのは愛情などではなくて欲望だけ。エゴイストの見本ですよ。

まあ、少なくとも男2人はいい大人だし、あなたという疫病神をつかまえたのも自業自得。でも、なんの責任もない子供たちに、将来どんなひどい捨て方をされても、文句のいえる筋合いじゃないことだけは覚えときなさい。

Q4 男性不信のせいで年下の男性からの好意にも素直になれません

19歳から、女性とお金にだらしない男性と腐れ縁で続いてきましたが、待ち続ける関係に疲れ、先日きっぱりと別れました。貸した大金も勉強代と割り切り、今後、かかわるつもりもありません。本当に痛い目にあったので、これから人を愛することもないと思っていた矢先、10歳以上も年下の、3人の男性からアタックされました。その中のひとりとは感性も合い強く魅かれる気持ちを否定できません。でも、いままでの男性不信と年齢のことなどで素直になれません。彼は「年齢なんて関係ない。自分に自信を持って」と励ましてくれますが、「また、だまされるかも」と不安です。

（41歳・会社員）

これ、人生相談じゃないでしょう。ノロケですよ。よござんすね。おごちそうさま。まあ、たまにはこういうめでたい話もいいでしょうよ。お幸せで結構じゃないの。閉店を決めたとたんに商売繁盛なんて、不思議なものだけれど、それも人生。あなた、年下のピチピチした男が好きな女たちが聞いたら、地団駄踏んで悔しがりますよ。

彼もいってるように、年齢は一切、関係ない。たかだか10歳くらいの差など、年上、年下のうちに入りません。10くらいの差をどうこういうのなら、いまだに大学生の男の子たちから粉かけられる私なんて、どうなるの？　「またお金を持っていかれるんじゃないか」とか心配する気持ちはわからなくもないけれど、それだって年齢の差ではなく、相手の男の、人間としての出来・不出来の問題でしょう。例えば女子高生だって、ヤマンバギャルみたいな外見の子とか、勉強せずに乱れた生活してる子なんかが話題になっているけど、あれは珍しいから話題になっているわけ。私は仕事で全国を回っているから知っているけど、地方の子も含め、まじめに勉強して、おとなしいカッコしている子のほうが、いまでも多数派ですよ。テレビでやっているような、壮絶で下世話なケンカしているような夫婦だってそう。珍しいからこそ取り上げられるの。それを勘違いして「これが多数派なんだ。流行なんだ」なんて思い込んじゃう人たちが多いから困っちゃうんですよ。「こんな女子高生ばかり」「こんな夫婦

ばかり」なんていえないように、「こんな男ばかり」とはいえませんよ。前の彼がヒモまがいだからといって、いまの彼までそうとは限らないでしょう。年下の男は全員、金目当てで年上の女に近づくわけでもない。年上の女にしか感じない男だってたくさんいるんだから。「私は女だから、男のことはわからない」なんて思ってはダメ。女だって、あなたのように、仕事して、自分の生活を自分で面倒みている人から、お金にも男にもだらしない人までいるわけでしょ。男だって同じこと。だから、相手の〝人間〟としての質を見極めることが大切になってくる。すぐにのめり込まずに、余裕を持って、腹六分くらいで付き合ってごらんなさい。1、2年もたてば、相手のことがよく見えるようになってきます。そのときに判断すればいい。男性不信もすぐには直らないだろうから、「2年間の軽めのお付き合いも、リハビリにはちょうどいい」と考えればいいでしょう。ただ、あなたにアドバイスしなければいけないのは、あなたはたかられるタイプの女かもしれない、ということ。人間的にしっかりしていて、経済力がある女と付き合うと、しっかりしていたはずの男まで女に頼りっきりになって、働かなくなっちゃう。誰だって、働かずにラクできるなら、そっちのほうにいっちゃうもの。「この女と付き合っていると、頑張らなくてすむ」と思って、怠けグセがついてしまう。あなたにそのつもりがなくても、相手を甘やかしてしまっているわけ。

性格をすぐに変えるのが難しいなら、せめてこれからお付き合いする男たちに対し、〝貯金がまったくない女〟のふりをすることを忘れないように。デートにかかるお金は相手に任せなさい。ワリカンの必要もありません。向こうに払う気持ちがあるか、払う能力があるか、見極めるためです。結婚詐欺師なんかも、最初に払って、後から回収するパターンが多い。だから、1年、2年の様子見が必要なんですよ。相手の本当の気持ちがわかるまで冷静でいたら前の彼とのことのように、10年以上も腐れ縁が続くこともないはず。いまの男が、人間としても質の高い人間だとわかるころには、あなたの男性不信も直っているでしょう。ハズレだとわかっても、さっきもいったように、まともな男だってたくさんいるんだから、今度はまともなのを探せばいいんです。40代なんて、匂い立つような女盛り。「コギャルなんて殴ってやりたくなる」と思ってる、大人の女が好きな男って本当に多いのよ。あなたに迫ってきた男の子たちがそのタイプなら、これ以上のめっけもん、ありませんよ。

最後にもうひとつ。美しい大人になるのなら、流行を追ってはダメですよ。いまの流行って、ティーンエージャーにいちばん似合うようなものばかり。追ったら逆に大人の魅力を殺すし、何よりあなたがみじめになるだけ。明るい色使いで、〝若く見える〟のではなく、〝美しく見える〟服やメークを取り入れて、女に磨きをかけなさい。

Q5

過去に2度、同じ相手に玉砕した片思いを諦めきれません

7年前からずっと片思いしている独身の上司がいます。とても穏やかで温かな人です。2度、告白しましたが、「好きになることはない」と、玉砕しました。何度も諦めようと思いましたが、彼を愛することで、嫌いだった自分自身も愛せるようになりました。でも、時には、彼と一緒になれないものかと悩み、つまらない嫉妬もしてしまいます。昔、友人が「本当に愛した人からは必ず愛される」と励ましてくれましたが、いつか彼と結ばれる日は来るのでしょうか。私自身は、ずっと彼を愛し続けたいと思っています。でも、これも彼を愛する自分に酔っているだけなのでしょうか。

（25歳・会社員）

「本当に愛した人からは必ず愛される」なんて、嘘です。私はそこまで無責任な世迷い言はいえません。あなたの友達も、ずいぶんと軽々しいことを口にする人ね。信じるほうも信じるほうだけど。ごくありきたりな男だったら、あなたがよほどの不細工でなければ、〝据え膳食わぬは男の恥〟で、2度のうち1度くらいは「味見してみようか」って気にもなるものだけど、けんもほろろに断られたわけでしょ。その時点で、ご縁がないのは明白ですよ。彼って、まったく女っ気がないわりには、優しくて、よく気がついて、穏やかな人だというし。そういうタイプって、実は同性愛者の男にすごく多いのよ。もしかしたら、彼も同性愛者かもしれない。ただ会社でオープンにしたら、差別や偏見に巻き込まれて、いろいろと不利益をこうむるだろうから、隠しているだけなのかもしれませんよ。同性愛者であることを世間に対して隠している人をクローゼット・クイーンというのだけど、人々が思っている以上にクローゼット・クイーンは多いもの。偽装結婚する輩もたくさんいるから、あなたたちには判断できない、というだけでね。ゲイの男たちって、見た目はこざっぱりしていて、おしゃれで、性格も穏やかで、女をいやらしい目で見ないから、勘違いして惚れる女たちが多いんですよ。それが友情だったら受け入れもするけれど、「恋人として付き合ってほしい」なんていわれたら困惑するだけです。

彼がゲイであるかどうかは確かじゃないけれど、逆に、あなたがレズビアンの女から一方的にお熱を上げられて、断っても断っても告白されたら、と想像してごらんなさい。または、どう転んでも好きになれそうもない男から何度も告白されたら。やっぱり困るでしょう。〝仏の顔も3度〟じゃないけれど、3回目にもなれば迷惑にも感じるでしょうよ。あなたはそれと同じことをしているんですよ。相手に苦痛を与えているだけ。そういうのを邪恋というの。邪な恋。読んで字のごとしで、そこには愛はありません。あるのは「彼と付き合いたい。抱かれたい」という、自分の欲望だけです。お互いに愛し合える、思いやれる相手を持つことこそが愛。つまり、相惚れだけを愛と呼ぶのです。

「いずれ彼も私のことが好きになる」という考えは妄想にすぎませんよ。あなたはね、たとえていうなら、彼がお米を買いにやって来ているのに、「いいえ、あなたは本当はタワシが必要なんです。ただ気づいていないだけなんです。だからタワシを好きになりなさい」と食い下がっている店員そのものです。

こういった現象は、別にあなただけに限った話ではなく、最近、ものすごく増えていること。相手が何を欲しがっているのかなど、まったくおかまいなしに、自分自身を「買え買え」と押し売りしている。軽犯罪法に触れますよ。さっき私がいったように、自分が同じこ

とをされたら迷惑なんでしょう。そこを反省しないとね。

「あなたは米よりタワシが好きなはず」という思い込みから逃れられないと、行き着く先はストーカーですよ。外国でこんな裁判があったの。好きで好きで、何度も告白したのに拒否し続ける男を逆恨みした女が、「彼にレイプされた」と裁判を起こした。でも、彼は実は同性愛者だった。法廷でそのことを男が明らかにして、女を逆提訴して、女は何年も刑務所に入ることになった。いま、日本でもストーカーがらみの犯罪が多いでしょ。みんな、「この人は自分を好きになるはずなのに、なぜ」という気持ちから発しているのよ。

相手がお米を好きなら、タワシを好きになるよう強要するのではなく、自分がお米になるよう努力すべき。それが本来の姿のはず。ただ、あなたの上司が同性愛者であってもなくても、あなたが彼にとってのお米になれないことは、いままでの状況がはっきり示しているのだから、「ご縁がない相手にしがみついても仕方ない」と気持ちを切り替えるしかありません。

報われない思いを抱き続けながら、彼と毎日、顔を合わすのが苦しいのなら、会社を変わって新しい環境で生活を始めること。〝去る者は日々に疎し〟で、時間が解決してくれます。新しい場所で、今度はあなたとしっくりくる男と出会えるかもしれない。そのチャンスに賭けるほうが建設的ですよ。

Q6 仕事以外は家で寝ているばかりの夫にストレスがたまります

中学時代からの付き合いの夫は長距離トラックの運転手。帰ってくるのは2週に1度、帰宅しても寝ているだけです。まともな会話やエッチもありません。私を嫌いなわけではなく日に5回は電話をしてくるし、お金も持たせていないし仕事はキツいので浮気の心配はないです。主人にしてみれば、たまの休みくらいゆっくりしたい、と思っているのかもしれませんが、私はたまの休みだからこそ家族のために何かしてほしいのです。「毎日、大変だけど、ありがとう」くらい、いってくれてもいいのに、と思ってしまいます。何もしてくれない主人が帰宅するのが私のストレスです。

（26歳・事務）

どんな仕事にせよ、従事している限りは自分のベストを尽くそうとするのがまっとうなことだけど、そのまっとうなことをするのに、誰もがとても苦労をしているのよ。ご主人がいくら車の運転が好きだといっても、趣味でドライブ行くのと、仕事で運転するのとでは大違い。壊しちゃいけない荷物を、時間どおりにきちんと運ばなきゃいけないわけでしょ。大渋滞の交通戦争の中を毎日毎日、ピリピリしながらくぐり抜けている。いつ、命にかかわるような大事故が起きるかもわからない。トラックやタクシーの運転手の抱えるストレスたるやもう大変なものですよ。それに、何時間も同じ姿勢で座りっぱなしで仕事しているから、ヘルニアになる人も多い。肉体的にも精神的にも、ボロボロになって仕事をしているんですよ。

「主人は帰ってきても、何もサービスしてくれない。横のものを縦にもしない」ってこぼしているのは、あなただけじゃないのよね。どこの奥さんもいうこと。でも、仕事で散々に神経すり減らして、家に帰ってきてまで神経遣ってたら、いったいどこで休めればいいというの？　あなた、ご主人が命を落とすかもしれない仕事に就いていることを、忘れているんじゃない？　ご主人は、事故にあわないよう、家で神経を休めているのよ。「事故で寝たきりにでもなったら、女房と子供を食わせていくことができない」って、わかっているから、仕事の疲れを取ることに専念しているのよ。

日に5回も電話してくるのもね、ギリギリの状態になればなるほど、愛している人の声が聞きたくなるからこそでしょう。声を聞くことで、安心して、また仕事に打ち込むことができる。「私のことがそんなに好きなのね」なんてうぬぼれる前に、電話してきたご主人のつらさを想像してごらんっていうの。仕事に打ち込んで、浮気もせず、あなたがあげたお小遣いだけでやっているなんて、ずいぶんできたダンナさんですよ。5回の電話のことにしたって、たいていの男なら5人の女に1回ずつかけるようになるもの。そういったことはこれっぽっちも評価せずに、やれ「何もしてくれない」だの「どこにも連れてってくれない」だの、わがまま放題もいい加減にしないとバチが当たりますよ。

ここ10年、20年、ますますその傾向が強くなってきているけれど、男に要求することしか考えていない女が多すぎます。「これして。あれ買って。あそこに連れてって。もっと私に気を遣って」って。それで自分は何をしたか、っていったら、ただそこにいるだけ。何様だっていうの。気を遣ってもらう前に、自分から相手に気を遣うことの大切さがわからないなんて。どこまで傲慢(ごうまん)になれば気がすむのかしら。だから男にうざったがられて、捨てられちゃうんですよ。

私には、いままで何千人というボーイフレンドがいたけれど、彼らはみんな同性愛者ではなかった。全員、きれいな奥さんやガールフレンドがいる、異性愛者の男たちばかり。異性

愛者の男たちが私を〝理想の女〟だといって愛の告白をするのは、私が何も要求しないか気を遣うから。それだけの理由で、異性愛者の美しい男たちが、私とという事実を、あなたも含め、多くの女たちが知るべきです。

ダンナは好きな仕事をしているのだから、頑張るのは当然、私たちを食わせるのは当然、私たちに優しくするのは当然、休日に家族サービスするのは当然って、3つや4つの子供みたいなわがままをいってるあなたのほうが、どうかしている。中学時代からの付き合いだから、もう15年近く一緒にいるのに、あなたはまったく成長していません。「〝いつもありがとう。大変だな〟っていってほしい」なら、自分からいうべきでしょう。相手に対して、自分から大人の女の優しさを見せることが先です。まずはご主人が帰ってきたら「本当にお疲れさま。身体は大丈夫？」と労をねぎらって、腰を踏んでマッサージしてあげるとか、肩をもんであげるとかしてごらんなさい。ご主人が仕事に出るときには「いってらっしゃい。気をつけてね」と見送るとか。あなたが先に仕事に行かなくちゃいけないなら、一筆残しておけばいい。どれも簡単にできることばかりですよ。すると、ダンナさんはますますあなたに愛情を抱く。世界で一番、優しくしてくれる女が、自分が帰る家にいるのだから。そうやってお互いにいたわり合うのが夫婦のあり方なのです。

2 なぜ、生きるのか

週刊女性の連載でも何度もお話ししましたけれど、この地球は〝正負の法則〟でできています。楽あれば苦あり。何かを得れば何かを失う。それでプラスマイナスゼロになるのが正負の法則です。この地球も、プラスとマイナスの中間、つまり天界と魔界、極楽と地獄のちょうど中間に位置しています。

私たちは全員、この地球に、魂のランクを上げるための修行に来ているのです。これが生きる意味です。

誰もがこの地球で、現在の肉体を借りて、修行をしているわけです。修行なのですから、つらいことの連続です。つらいのが当たり前なのです。修行の邪魔も、しょっちゅう入ります。天界から来た人の修行を、悪意・ねたみ・そねみ・ひがみで妨害し、スキあらば堕落の魔界に引きずり込もうと狙っている魔界人もたくさんいるのですから。

でも、最初から、「修行なんだから、厳しいのが当たり前」という覚悟ができていれば、いざ試練がやってきても平気になる。準備ができているからです。立ち向かってねじ伏せるなり、笑ってやりすごすなり、とにかく行動が起こせるわけです。

そうやって、何万回、何十万回と生まれ変わっていく過程を経て、少々のことではビクともゆるがない魂のランクに上がっていくのです。

戦い方はひとつではない

最近、自殺が増えていますが、私はおすすめしません。というのは、自殺は人生の中途退学だからです。だから、次に生まれ変わったときに、もう1度、同じレベルの人生を送ることになるのです。痛い思いをして死んだのに、これでは骨折り損ですね。ですから、「1度は死のうと思ったから、もう怖いものなんてない。死んだ気になりゃなんだってできる」と、エイッと開き直ってしまえばいい。そうすればラクになる。ラクになると、頭も働くようになりますから、発想の転換も図れるようになる。

学校でイジメにあっているのなら、まずは、「私の、僕の生きる場所が、永久にあの学校であるはずがない。いじめるやつらと一生、付き合っていくはずもない」と思えば、スッと気持ちも軽くなる。選択肢だってたくさんあります。学校に行かずに働く手だってあるし、大検を受けて大学へ進む道もある。大学にまで行けば、陰湿な集団イジメはなくなります。

亭主や恋人に日常的にひどい暴力をふるわれているのなら「この人は、私と一緒に生きていく人ではない」と思えば、自分から断ち切る気力も湧いてくる。きれいに別れるためには何をしなくてはならないか、考える余裕も生まれてくる。それは逃げでもなんでもない。魔

界人と接触を絶って生きていく、という知恵のひとつなんです。とにかく捨て身の開き直りが肝心です。〝身を捨ててこそ浮かぶ瀬もあれ〟とか〝虎穴に入らずんば虎児を得ず〟とか〝毒を喰らわば皿までも〟と思えるようになることが大事です。

会社が倒産したり、リストラされて絶望しているお父さんがいらっしゃったら、「会社がなければ生きていけない俺じゃなし」と思えば、「よし、なんだってやってやろうじゃないか」と前向きな気持ちも生まれてくる。

ちょっと発想の転換を図るだけで、自分の中で思わぬ力が目覚めるのです。これも人生における立派な戦い方であり、強さなんですよ。腕力だけが強さなどではないのです。

魔界人からも学べることがある

〝因果は巡る小車(おぐるま)や〟〝人を呪(のろ)わば穴ふたつ〟というように、人に対してひどい仕打ちをしたら、その報いが必ず自分に振りかかるようにできているものです。だから、わざわざ藁(わら)人形を作って丑(うし)の刻参りをする必要もないわけです。〝人を呪わば穴ふたつ〟なのですから。ただ反面教師にしているだけでよろしい。「私にも、魔界から来た人に染まっている部分がないだろうか」と、自分をかえりみる材料にすればいいのです。

でも、人間は誰もが修行途中の身ですから、悪意・ねたみ・そねみ・ひがみとまったく無縁でいられる人はいないのです。魔界人を反面教師にしようとしたとき、自分の中にも至らない部分が、まだたくさん残されていることに気づくでしょう。至らない部分をなんとかクリアしようと努力し、「よし、これでクリアできたはずだ」と思うところには、別の至らない部分に気づく……。この繰り返しで、人は成長していくのです。

つまり、生きていく間は、ずっと何かを学んでいくことになりますね。それが修行の本質なのです。このことを理解しておけば、年を重ねるごとに生きていくのがラクになります。30、40、50、60、70と年をとってみて、はじめて見えてくるものがいっぱいあるのが人生なのです。ですから、自分が賢くなっていくことがわかれば、つらい修行の中にも喜びが見いだせるようになります。〝強く〟生きられるようになるんですよ。どんなに聡明な人でも、若いうちにはどうしても見えないものが、人生には山のようにあるのです。

Q7 自分の中のダメな部分ばかりが目につき、前向きな気持ちになれません

美輪さんの本を読み、美輪さんのように徳の高い人になりたいと思っています。神や仏の存在も信じていましたが、意地悪で、欲の塊で、愛してくれる人もいず、ラクなほうへ逃げてばかりいる自分が、神様に選ばれて、この世に生まれてきた存在だとは、とても思えないのです。人生を変えたい、と強く思うのですが、いまでは、神や仏が信じられず、心のよりどころが見つかりません。この先、どのように前向きに生きていけばいいのか、アドバイスをお願いいたします。

（30歳・パート）

例えばお釈迦様は、最初からお釈迦様だったのではなくて、何百回、何万回、何億回という輪廻転生を経て、生まれ変わりの最後の最後、という段階でお釈迦様になったのです。人生とは学校のようなもので、生まれ変わるごとに、幼稚園、小学校、中学校、高校、大学、大学院、とレベルが上がっていくから、勉強の質も量もハードになるし、卒業するのも大変になってきます。お釈迦様時代に、いちばん難しい、最後の卒業試験に合格したというわけ。そのはるか以前は、天上天下を大騒ぎさせた大悪党だった時代も何度もあるんですよ。最初から霊性や徳の高い王子様として、この世に生を受けたわけではないのです。お釈迦様のいとこで、修行の邪魔ばかりしていたダイバダッタという人も、大悪党の塊みたいな人物だったけど、最後には如来へと生まれ変わった。生まれてすぐにモーツァルトやショパンを自在に弾ける人などいないように、最初から何もかも持って生まれた人などいません。まずはそれを知るべきです。

自分の中のイヤなところに悩み、自分の中に神様がいないってことを嘆いているようだけど、そういうふうに考えてるだけでもマシじゃない。いい線いってますよ。お釈迦様にしてもダイバダッタにしても、のたうちまわるほどもがいて苦しんで、高い霊性や徳を身につけた。一生を通じて、ずっと修行、勉強は続くのです。生まれ変わってレベルが上がれば、も

っと大きな試練がやってくる。ちょっと進んでは悩み、立ち止まり、自己嫌悪に陥り……、それを繰り返して、本当に少しずつ高みへと上っていくのが人生なんです。

世間の大多数の人間は、他人の悪口いったり、迷惑かけまくっても、自己嫌悪もへちまもあったもんじゃないって感じで生きてるでしょ。魔界人のほうが大手を振ってのし歩き、「私を中心に地球は回っている」なんてしゃあしゃあといってのける。あまつさえ、それを支持するような人もたくさんいるでしょう。そういう人たちは、あなたよりはるかに下のところで生きているのです。悩み、苦しむというのは、難しい試験を受けているということ。あなたはよっぽど上等な人間ですよ。

キリストの言葉じゃないけど、「悲しむ者は幸いなり」で、悲しむくらいに悔い改められるほうがいいのです。まだ30なのに、人生極められると思うほうが生意気よ。70、80になっても完成されるものではないんだから。そんなに結果を急ぐんじゃありません。

私のようになりたいと思ってくれるのはいいけど、何千回と生まれ変わった私でも、「まだまだ修行の途中だな」と思うことばかりですよ。今度の人生は65年が過ぎたけど、40代のときに20代、30代を振り返っては「まあ、なんて青くて、至らなかったんだろう」と思い、50代には40代の自分を「なんて傲慢(ごうまん)で無知だったんだろう」と思ったもの。65歳になったてい

まも、思い出しては反省したり学んだりすることだらけですよ。年を重ねれば重ねるほど、そうやって冷静に自分を見つめることもできてくるから、軌道修正もきくし、世の中のことも見えてくるものなのです。

あなたが生きてきた、そして、これから生きていく人生は、現在の人生だけではありません。あなたは何度も生まれ変わってきたし、これからも生まれ変わっていく。その数え切れないほどの人生のすべてで、あなたはさまざまな試験を受けて成長していきます。その期間を考えれば、2年や3年で簡単に結果が出るものではないこともわかるでしょう。〝昨日より今日、今日より明日〟で、少しずつしか進めないのが人生。誰もが先に進むため、悩みや苦しみを引き受けているのです。

Q8 今のお気楽な生活は、将来の自分に悪影響なのでは、と悩んでいます

いままで、いろいろありましたが、苦労はいいことに変わる、と前向きに考えるようにして過ごしています。例えば連戦連敗の就職活動も、最後に決まった職場が、人間関係がよくて長続きしていること、母子家庭に育ったおかげで、偏見の愚かさが理解できたこと……。でも、過去を振り返ると、鮮やかに思い出すのはつらかったことばかり。深く悩まない最近の私の姿は思い出せません。最近の私の生き方は、思い出すに値しないものなのか、と不安を感じています。

（31歳・会社員）

あなたのいってることは、おかしいことでもなんでもない。ただ人生の本質を話しているだけです。

〝なぜ山に登るのか。そこに山があるからだ〟って言葉があるでしょう。登ってる間は、ほんとにつらくて苦しくて、「もうイヤだ、2度と登るもんか」と思い、頂上にいるときにその苦しさを少しの間、忘れられて、でも下山するときに同じ苦しさを味わう。でもね、時間がたつと、苦しかったことのほうを鮮明に思い出すようになる。それも、ひどい思い出じゃなく、素晴らしい思い出としてね。だからこそ、人はまた山に登りたがるのです。

人間関係にしても〝ケンカするほど仲がいい〟っていうけれど、ケンカしたことほど、後になってロマンティックな思い出になる。人間ってね、苦しかったこと、つらかったことを楽しい思い出にすることができるわけ。だから、林芙美子の言葉で『花の命は短くて、苦しきことのみ多かりき』っていうのがあるけど、あれは嘘なのです。後で楽しい、いい思い出にすることができるんだから、〝楽しきことのみ多かりき〟というべきなんですよ。

楽しかったことは、もちろん楽しかった思い出のまま、苦しかったことは、苦しかった分だけ、余計に楽しい思い出、いい思い出に変わる。つまり、人生はラクだらけ、と考えることもできるんですよ。

この前、漫画家の水木しげるさんと対談したんだけど、水木さんは「私は1週間に1度、お利口になっている」とおっしゃいました。人生の問題に対する対処の仕方がわかってくる、ということですね。70を越えた水木さんでさえ、そうおっしゃった。つまり、人間とは、そうして一生、成長し続けるのよ。

あなた、まだ31でしょ。若いうちは悩むものですよ。行きつ戻りつ、右往左往して、少しずつ進んでいくもの。それが青春。真っただ中で結構じゃないの。海にもシケと凪(なぎ)があるように、一生、何事もなく平穏無事に過ぎていくような人生は存在しません。それは死の世界だけ。あなたもそのうち、望まなくても荒波が襲ってくるようになります。別に脅かしているわけじゃないけれどね。

「苦労もいいことに変わる」

と、思ってるのはいいけれど、だからといって不平不満を無理に探すこともないじゃない。おぼれるチャンスを待ちながら泳いでいるようなもの。ぜいたくな悩みでしょう。苦労に感謝できるんなら、いまの平穏無事な日々に感謝することだってできるはず。平和であることに対する感謝の気持ちが足りないのが、あなたの不安の原因です。影があるからこそ光が際立ち、黒があるからこそ白が際立つ。それをもっとよく考えてみるべきです。

人生はよく旅にたとえられますね。事故や病気で足止め食らったり、途中で誰かと道中をともにし、そして別れ、いろんなことがあるけれど、旅の最後に「よくご無事で」と声をかけられる。そして旅をした人も、無事であることに、心からの感謝の気持ちを持つ。それが人生というものです。

いい家族がいる、いい仕事場で働ける、美しい景色やいいお芝居、絵画を見る、いい音楽を聴く……、世の中にはいろんな幸せがあるけれど、それを味わえない人たちだっていっぱいいます。でも、あなたは、私がいま挙げた幸せの要素を全部、持ってるんでしょう。そのシンプルで、温かい事実をまずは受け止めなさい。

そうやって年を重ねていけば、さらにいろんな真理が見えてくる。より楽しくて豊かな人生を送ることができる。あなたはいま、その旅の途中なのです。結論を出そうとするのは、まだ早すぎます。

Q9 本音とタテマエのギャップの大きさは偽善者の証拠でしょうか?

パートと育児に忙殺され、年をとるにつれて本音とタテマエのギャップが大きくなる不安に苦しんでいます。経験を積み、ものごとがわかってゆくにつれ、優しさがすり減って、心が狭くなっていく気がします。「嘘つき」と思いながら、ケンカする度胸もなく同僚と仲良くしたり、「厄介だな」と思いながら笑顔で接したり……。そんな本音とうらはらな偽善ばかり取り繕う自分がいます。自分の汚さは身に染みているので、もうごまかしたくないのですが、それではどうするべきなのかわからないのです。私は間違った方向へ進んでいますか? どうしたら芯から優しくなれますか?

(38歳・主婦)

別にこのままでよろしいんですよ。人生っていうのはそういうもの。完全な人格者で、どこまでも慈悲深くて優しくて、っていう人は、地球にはいませんからね。例えばマザー・テレサにしても、はじめから完全な人間ではなかっただろうし。完全な人間は、もうこの世に生まれ変わる必要がないから、あの世で仏として生きているのよ。この地球にいるということは、すなわち、人としての修行の余地が残されている、ということ。私だって、まだ修行の必要があるからこそ、ここにいるんだし。生きながらに即身成仏できる人はこの世にいません。ただあなたは、そうあろうと努めている。その姿があればいいのです。その姿こそが重要なのだから。

これから何度もいうことになるだろうけれど、この地球は魂の道場です。優しくなってみたり、粗暴になってみたり、意地悪になってみたり、地獄の鬼のようになってみたり、そして自己反省と軌道修正をして……、一生、その繰り返しです。神・仏に仕えている尼さんや修道女だって、みんな同じ。煩悩は死ぬまでついて回る。「自分に嘘をついている」とか「こんなことじゃいけないな」とか、反省しているだけマシですよ。普通の人間は、こんなこと考えもしないもの。考えているだけ、あなたはずいぶん上等です。これからも自分自身のあり方に悩み苦しむだろうけれど、それでいいの。イヤなやつ、と思いながらもニッコリ笑

って付き合うことは、マナーやたしなみ、躾や礼儀作法の勉強のひとつくらいにとらえておけばいい。本音とタテマエを使い分けることではありません。想像してごらんなさい。みんながみんな、いつでもどこでも本音をぶちまけて、「あなたが嫌い」だの「あなたはイヤなやつ」だのいい合ったらどうなるか。個人レベルから国家レベルまであっという間に大戦争で、この世は滅びてしまう。心の中でいくら「このバカ野郎、こんちくしょう」と思っていても、表には出さずニッコリしてるのは、この世を成り立たせるためのマナーなんですよ。

周りの人に優しく接する中で、「この人には心から優しくしなければ」と思う人と、心の腐った連中を見分けることはできるでしょ。「この人には」という人にだけ、心からの愛情を見せればいい。心の腐った人に心から優しく接するのは、相手のためにもならないから。そういうときは、相手以上に強くなることも必要になる。私も、「この人は、優しくしたら逆につちをナメてかかって増長するばかりだな」と思う人に対しては、厳しく冷たい言葉を浴びせかけていますよ。あなたはそういった使い分けを、裏表があるとか、偽善者である、ととらえているけど、これは臨機応変である、ということであり、必要なものなのです。

いろいろな種類の観世音菩薩の仏像を、お寺や本などで見たことがあるでしょ。なぜ、観世音菩薩は33体の変化の姿を持っているのか。「この人には優しく接したほうがいいな」と

思う相手には、こよなく優しくなれるし、「これは厳しく接しなければ本人のためにも周りのためにもならない」と思う場合には、相手以上の大悪党にもなれることを意味しているのです。仏様とは、優しい、強い、厳しい、温かい……、といった全人格的なものの象徴。そのことを33体で表現している。〝人を見て法を説く〟という諺のように、いつも優しく接することだけが慈悲深いのではない。相手によっては厳しく冷たく対するのも慈悲のひとつである、ということなんですよ。魔界から来た人に対しては、彼ら以上に魔界人になったほうがいいってこともあるのです。人に対するマナーや礼儀を〝偽善〟と取り違えるのは、もうおやめなさい。「自分が汚れていくような気がする」という悩みは、その誤解から生まれているのです。ただ、覚えておいてほしいのは、これからの人生でも、苦しみや悩みは、波のように次々にやってくる、ということ。そのたびに試行錯誤しながら人は生きていくのです。苦しみ、反省し、軌道修正し、そして少し救われる。その繰り返しがずっと続きます。あなただけではなく、私にとっても同じこと。誰にでも訪れます。苦しみ自体を悲観する必要はない。なぜなら、苦しんだり、ラクになったりの繰り返しこそが修行の本質であり、ひいては人生の本質なのだから。間違った方向へ進んではいません。困難な道ではあるけれど、歯を食いしばって進む心構えを固めることが、あなたには必要です。

Q10 自分の人間性を反省し、徳を積むにはどうすればいいでしょう

先祖代々、生まれも育ちも貧乏ながら、夫と子供2人と静かに暮らしています。週刊女性の連載を読むうち、自分でも徳を積み、高い人間性を持つ人になりたい、との思いが強くなりましたが、そのためには、何をどのようにすればいいのか途方に暮れるありさまです。美輪さんがおっしゃる「魔界人」とは、自分のことではないかと思うこともあります。いままで多くの人に迷惑をかけてきました。そんな人たちに、生きている間に少しでも恩返しをしたいのです。そのためには、自分が清まらなければ、とも思います。教養も才能も持ち合わせていない私は、これから何をすべきでしょう。

（46歳・事務）

ご主人とともに生き、子供2人を育て上げたんでしょ。そこまで家庭を守ってきたのだから、それで十分です。子供といってもね、子供はあなた自身ではない。やっぱり別の人間でしょう。その別の人間を、いままで手を添えて育ててきた。ご主人とのことにしても、あなたもご主人に支えられてきたんだろうけど、ご主人だって、あなたに支えられてきたからこそ、ここまでやってこられたんだし。それで十分、徳は積んでいます。〝徳を積む〟ということはね、人様に対して何をするか、ということもあるけれど、自分自身、そして自分自身の身の回りのことをしっかりやっていくことが先決なの。〝天は自ら助くる者を助く〟という言葉があるでしょ。自分のことをしっかりやっている者にだけ天の助けが訪れる。自分のこともしっかりやれないうちから人様にどうこうできると思うのは、おこがましいですよ。自分の頭の上のハエも追えないのに、他人様のハエまで追えるものではないのだから。

ただ、あなたは、徳を積みたい、人様のお役に立ちたい、と願っている。その気持ちがあるだけでいいんです。自分のことを魔界人だと思っているようだけど、生きていく間には、そりゃ大変な時期だってありますからね。悪の誘惑に負けそうになったり、何も信じられなくなったり、いっそ大悪党になってしまおうかと思うことだってありますよ。でも、そのたびに、「いやいや、これではいけない」と、軌道修正しながらここまで生きてきたんでしょ。

自分を振り返り、反省の心を持ち続け、もっと高い人格を持った人になりたい、と思っているのなら、魔界人にはなっていないんです。

徳を積むのには、本当にありとあらゆる方法があって、だから逆に〝これをもって徳となす〟という条文みたいなものはないのです。夫を愛し、子供を育てたことで、あなたは徳を積んでいる、と話したけど、愛し、育てるといったって、そのために多くのことをしなくてはいけないわけよね。「私にとって家族はとても大事」と思う気持ちがすべての行動の基本にあるかどうかが重要なの。結果として、家族が元気に、和気あいあいと暮らしているのだから、それで結構。いまのままでいいんです。多くの人が、徳を積むためには、人に施しをするとかボランティアに行くことが必要だと思っているけど、それは徳を積むことではなく、正負の法則に従っているんですよ。例えば、世界的な大金持ちのロックフェラーとかカーネギーとかはね、儲けてばかりのときには、身の回りに悪いことばかり起きていた。大きく儲ければ、その分すごい災いが降りかかっていたのね。そこで、施餓鬼供養じゃないけれど、人に施しを与えるようにしたらバランスが取れるようになった。大きな喜びのあとには、必ず大きな災いがやってくるのが正負の法則。だから〝転ばぬ先の杖〟としてボランティア面も充実させたわけ。もちろん、慈悲の心でやっている人もいるけど、それだけじゃなく、自分の

身を守るために施餓鬼供養はするべきです、という教えに従っているんですよ。

あなたの場合、貧乏という〝負〟があるから、健康で温かな家庭、つまり〝正〟があるのだと思う。貧乏は、徳がないとか因縁が悪いということではない。たいていお大名とか王様とか公爵家とか、身分が高かった家こそ、搾取やら圧政やらで多くの人を泣かせてきたから、業が深く、因縁が悪い。逆なんですよ。金も名もある名家といわれるところは、歴史が他人の血と涙で作られている。いまだったら電気イス間違いなしっていう、ありとあらゆる悪いことをして、多くの犠牲があるからこそ続いてきた。代々、貧乏な家のほうが、因縁はきれいなことが多いのです。

お金持ちだから幸せ、っていう公式は成り立ちません。大金持ちほど孤独だし人を信用できないから、ちょっとした外出にさえボディーガードを雇ったりする。死んだら親類縁者が必ず骨肉の争いを繰り広げる。お金は本当に人を魔物にします。お金があったらあったで、持てなかったころには想像もつかなかった地獄が待っているもの。私はその種の家々の修羅場を、イヤになるほどたくさん見てきたから断言できます。そんな醜い争いに巻き込まれないことを幸せに思って、これからも自分の至らないところを反省しつつ、自分自身と家族を愛しながら生きていくこと。そうするうちに、徳は自然に積めるものです。焦ることはありません。

Q11 大病を境に不幸に変わった人生にも意味はあるのでしょうか

16歳のとき原因不明の難病にかかり、生死をさまよい、民事裁判で心身ともに決して消えない傷が残りました。いまでは支え合える恋人もできましたが、病気のせいで、私も家族も本当に幸せでいられることはありません。なぜ、ひとりの人間に、こうも不幸と苦労が降りかかるのでしょうか。「きれいだし、頭もいいのだから……」と周りの人はいってくれますが、人知れず涙を流しながらプライドを持ち続けることの葛藤、つらさに負けてしまいそうになることもあります。葛藤は、人生において、どのような意味を持つのでしょうか。アドバイスをお聞きしたいと思っています。（23歳・学生）

私がどのような人生を送ってきたか、ということは『紫の履歴書』に書いてあるし、『ほほえみの首飾り』や『人生ノート』では、どのような心構えで生きていくべきか、ということを書きました。それらをまず読むこと。そして、葛藤とあなたは表現したけれど、葛藤も含めた、生きる意味について、ここでは話しましょう。

人間は等しく、魂の道場であるこの地球上に、菩薩行、すなわち魂の修行をするために生まれてきているのです。何百回、何千回、何万回と生まれ変わり、死に変わりする過程を経て、魂のランクを上げていくこと、これが生きていく意味です。人生において、功なり名を遂げるということでさえ、魂のランクを上げていくことの重要性の前ではものの数ではありません。

数え切れないほどの輪廻転生を通じ、魂のランクを上げていくのだから、当然、誰もが同じランクにいるわけではない。初めて生まれ変わる人もいれば、1万回目の生まれ変わりを経験している人もいるわけでしょう。小学校から大学まで、勉強がどんどん難しくなるように、人も生まれ変わるほどに、高い人格を持てば持つほど、大きな試練がやってくるようにできているものなのです。キリストや釈迦の例を持ち出すまでもなく、聖者であればあるほど、「これでもか。これでもまだくじけないか」とばかりに、苦労という苦労がやってくるものです。それが人生の最終学歴の試験に当たるのね。現在の日本でいえば『五体不満足』

を書いた乙武さんが当てはまるでしょう。彼は、今度は菩薩としての人生が待っているはず。この真実に照らし合わせれば、あなたの苦労は、あなたが霊的に高いステージにいることの証明なのだと気づくでしょう。これは、あなたの気持ちをラクにするための方便ではなく、事実そのものです。大学生が小学校から学び直せないように、人間は、生まれてくるとき、その人のランクに合った人生のプログラムを、自分で選んで生まれてきます。そのプログラムは、この世に生きている間は、自分から知ることはできないけれど。いつ生まれ、誰と出会い、どんな出来事、試練がふりかかり、いつ死ぬのか……、といった青写真を、自分で選んで生まれてくる。この青写真を宿命と呼びます。多くの人が〝宿命〟と〝運命〟を混同しているけれど、運命とは、青写真の手直しのことをいうのです。家を建てる、という計画そのものが〝宿命〟で、満足のいく家を建てようと努力を惜しまない姿勢が〝運命〟である、とたとえれば合点がいくでしょう。宿命も、心がけ次第で乗り越えるのがラクにもなる。つまり、手直しがきくようになる、ということ。それこそが〝運命の力〟であり、葛藤とは、運命の力を呼び覚ますための過程のひとつなのです。

美しく生まれても、楊貴妃やクレオパトラのように、深い業を背負う場合もある。逆に、醜く生まれれば、愛する人と結ばれない悲しみを繰り返すことだってある。頭がよいからこそ生じ

る悩みもあるけれど、頭が悪ければ疎んじられることが増える。功なり名を遂げた後、自分が愛した人も、自分を愛してくれた人も、どちらもいないことに気がついて愕然とする人もいる。どれが幸せで、どれが不幸か、誰にも判断できない。というより、人によって判断が分かれるでしょうね。つまり、幸せ、不幸せは、「あるか、ないか」という絶対的なものではなく、「その人が感じるか、感じないか」という基準でしか存在しないものなんですよ。『愛する人がいる病弱なあなた』と、『愛する人がいない健康な他人』、どちらが幸せか、という問いの答えは、厳然とした形で存在しているのではなく、あなた自身が出しているのです。そして、葛藤を重ねて、心から愛する人がいることの素晴らしさと、彼を見られる、声を聞ける、話ができる、彼に触れられる身体がある喜びを、深く感じることができるようになるのです。

私は、何かにぶつかったとき、あえて苦しかったころを思い出します。心身をリラックスした状態におき、目をつむり、過去をひとつひとつ振り返る。そして「あれだけの苦労の中を私は生き抜いた。だから、これからもやっていける」と自己確認して、未来への力としています。試練の中を生き抜いてきた自分の強さこそが、あなたのプライドになる。苦労がなかった16歳以前のあなたではなく、病気と闘う16歳から現在までのあなたこそ、あなたの強さの証明書なのです。そのことを忘れないでください。

Q12 愛する家族に起こる不幸に立ち向かう方法を教えてください

優しい家族に囲まれ、最高の宝物に恵まれた幸せを感じながら、つつましく暮らしています。でも、同時に「もし、この家族を失ったら」と考えると怖くなります。身内が不幸にして命を亡くしてしまったら、どのようにしたら強くなれるのでしょうか。生きていく以上、つらいことや悲しいことがあるのは当たり前ですが、対処の仕方に意義があるのだと思っています。ニュースで悲しい事件が流れるたび、残されたご家族のことを思い、自分が同じ立場に立ったら耐えられるだろうか、と自問自答しています。この家族を守る術、悲しみを乗り越える術を教えていただきたいのです。（28歳・主婦）

家族を愛していることは、とてもいいことだし、特に最近は若い子たちに家族思いの子が増えてきている。あなたもそのタイプなのでしょう。ただ、この世の中には、正負の法則があることを忘れてはなりません。楽あれば苦あり、苦あれば楽ありで、いいことの後には、必ずつらいことがやってくるものです。揺り戻しのない幸せは、この世に存在しないということを、覚えておくべきです。

身寄りがなく、ずっとひとりで生きてきた人のことを想像してごらんなさい。可哀相よね。でも、孤独の中を生き抜いてきた分、他力本願ではない生命力の強さを身につけている。自力が強くなっているの。そういう人が結婚し、そしてダンナさんなり、奥さんなりが亡くなっても、孤独に耐えることがどういうことかわかっているから立ち直るのも早い。独身を通すにしても、ひとりで生きていくことを続けるだけだから、そこに不幸を見いだすことはない。深い愛情は知らないかもしれないけれど、そのかわり、深い悲しみも知らず、強さも持ち合わせている。逆に、大家族でにぎやかに生きてきた人などは、結婚後、2、3人の子供に恵まれたとしても寂しさを感じてしまう。これを正負の法則と呼ぶのです。

だから、深い愛を知ってしまった人は、深い悲しみを味わうことになる。最初にいったように、揺り戻しのない幸せは存在しないのだから。喜びが大きければ大きいほど、後にやっ

てくる悲しみ、苦しみも大きくなる。誰もが、この法則の中で生きていることを、頭に入れておかなくてはなりません。

あなたも感じているように、別れはいずれやってくる。予想もしなかったタイミングで訪れることもある。でも、まだ何も起こっていないうちから「どうしよう、どうしよう」と、妄想のとらわれ人になるのは意味のないことです。人間に限らず、形のあるものは必ず滅する定めなのだから、「いずれ私にも、私の愛する人にも、等しく別れがやってくる。来てしまったら、そのときに受け止めましょう」と、頭のどこかに入れておくだけでいい。それだけです。いまのうちから悪いことばかり想像するのはやめて、いまの状況に感謝していればいいんです。

愛する人との別れは、それはつらいものですよ。私だって、愛した人との別れをたくさん経験してきたからわかる。泣きますよ。泣いて、泣いて、泣いて、血を吐くほど泣いて、狭心症になるほどに胸が苦しくなり、「どうしてあの人だけを連れ去ったのか。どうして私も連れ去ってくださらなかったのか」と、神や仏を呪(のろ)いたくもなるでしょう。それを解決してくれるのは時間だけ。時が流れるのを待つよりほかはない。3年、5年と時がたてば、悲しみはロマンティックな思い出として昇華されます。対処の方法は、これしかありません。生き別れにしろ、死に別れにしろ、愛する人と別れた人はすべて、この道を通ります。「いずれは必ず通るも

のならば、通るときに向き合えばいい」と考え、いまは周りの人たちと出会えたこと、一期一会に感謝して過ごしなさい。家族だって、一期一会の中で出会い、家族という絆（きずな）を持つに至った人たちです。あなたがご両親の子供として生まれてきたこと、ご主人と巡りあったこと、子供がいるなら子供を授かったこと、すべて一期一会の導きによるもの。孤独の中で生きてきた人も同じです。これまで生き抜いてきた自分の強さを誇りに思い、強さを与えてくれた巡りあわせに感謝する。それが〝強く生きるために〟私がアドバイスできることです。

いいこと、悪いことは、コインのように、常に表裏一体を成している。表も裏も幸せでできたコインはありません。生きることには死ぬことが、深い喜びには深い悲しみや苦しみが、光には影が、必ず対になっているのです。それは常にひとつの中にあり、いつどちらに転ぶかは、誰にもわからない。誰にもわからないからこそ、「やってくるのはいつ？　そのときにはどうすればいいの？」と、無意味に悩む部分があるのなら、悩んでいる部分まで感謝の色に塗り替えること。別れのつらさ、悲しさを、いまから想像してふさぎ込むのはこれっきりにして、いままで以上の愛情と感謝を、周りの人たちに向けなさい。脅かすわけではないけど、いずれあなたにも、周りの人たちにも、大きな悲しみがやってきます。そのときに初めて向き合って、時が解決してくれるのを待つ。それが人生なのです。

3 人生は戦いの連続

楽あれば苦あり、苦あれば楽あり、これの繰り返し。人生は試練の連続です。その試練をどう跳ね返すか。どうやりすごすか。跳ね返すもやりすごすも、ただ戦い方が違うだけで、「押しつぶされないぞ」と覚悟を決める点では同じです。人生は戦いの連続なのです。

差別との戦い

人種差別、同性愛差別、生まれた場所による差別、職業差別、美醜、未婚、年齢、子供がいない……。この世は差別に満ちています。

私は世に出たころからホモセクシュアルを公言していました。私がまだ10代、20代のころには、ホモセクシュアルとわかっただけで家族から縁を切られたり、会社からクビを切られたり、自殺したり殺されたりする人が、後を絶ちませんでした。家族から罵倒され、偏見の針を浴びせられた私の友人は、本当に自殺してしまったのです。素晴らしい人格を持った人だったのに。男も女もなく、人間が人間を愛するということには、まったく変わりがないはずなのに、どうして、こんなに理不尽なことが起きなければならないのか。だからこそ、それらの気の毒で哀れな人々を見て、私は堂々と戦っていくことを決意したのです。

生まれや職業で差別される人たちは、私の『ヨイトマケの唄』や『ボタ山の星』という曲

に励まされたといってくれます。

人は誰でも、自分と違う人間を、容易には認めようとしません。自分とは違う人間を異常と思うことで、自分をマトモだと思いたがるファシストなんですよ。「あいつは何々だからマトモじゃない。俺は何々じゃないからマトモ」と、どんな形であれ、いままで思ったことのない人など、まずいないでしょう。差別を受けている人だって、違う境遇の人をおとしめている場合が多々あるのです。

差別を受けたときに、「ファシストに屈するものか」と覚悟を決めるのは、他人との戦いです。自分の中の差別意識に気がついたとき、反省し、「人は人なんだ。違っているのが当然なんだ」と思い直して軌道修正するのは、自分との戦いなのです。その両方に気づいてこそ、人はさらに上質になれるのです。

仕事はつらいのが〝当たり前〟

「仕事がつらいなあ」と、いま現在も多くの人が思ってらっしゃるでしょう。この世の多くの人間がそう思っているわけです。つまり、つらいのは、あなただけではないのです。毎日毎日、満員電車に往復2時間、4時間と揺られ、下げたくもない頭を百万べんも下げ、何を

いわれてもグッとこらえて笑ってみせて。その我慢料として給料があるのです。「なんだ、みんな同じことをやっているんだ」と思えば、そこで気持ちもラクになる。そこに気づかなければ、愚痴をこぼしながら大酒を飲んで、二日酔いしか残らない。「どうして自分だけ」という気持ちから抜けられないと、いつまでも隣の芝生が青く見えてしまう。本当は、隣の芝生だって同じ色をしているのに。

つらいのを承知のうえで、必死で頭を下げて、好きでもない仕事をして一生を終えるサラリーマンは、私がもっとも尊敬する人たちです。私には、とてもあんなマネはできません。ですから、嫌な仕事をしながら生涯をまっとうする人たちは、この世でいちばん偉い人たちなのです。

〝当たり前〟と思うことから始めよう

何か問題が起こるたびに「どうしてこんなにつらいのか」と思う人がいます。そういう人は〝正負の法則〟を忘れているんですね。いいことばかり、幸せばかりがやってくると、心のどこかで、まだ信じ込んでいる。結婚、子育て、仕事、対人関係、なんだって、つらくて大変なのが当たり前だと思えば、「どうしてこんなにつらいのか」と、ムダに悩むことはな

くなるのです。悩むかわりに、「これこれこういう楽しい部分もあるのだから、まだ捨てたもんじゃないな」と思えるようになり、気持ちがプラスマイナスゼロになって落ち着くようになる。すべては、発想の転換から生まれるんです。

自分の気持ちをいかに安らかに保つか、いかに冷静な自分でいられるかが、人生における戦いなのです。ピアノや何かのお稽古ごとでもそうですが、最初から何もかもうまくできる人など、ひとりもいませんから、焦る必要はありません。若いうちは人生の初歩を習っている、ピカピカの新入社員なのですから。

とんでもなく悪いことがやってきた後には、必ずいいことがやってきます。でも、「どうして私だけ、こんなにつらいのか」という気持ちにいつまでも縛られている人は、必ず、ささやかだけれど温かい幸せが来ているのに、見過ごしてしまう。これでは悪循環になるだけです。ですから、最初の心構えを、きちんとプラスとマイナスの中間に置いておかなくてはいけないのです。

Q13 男性からの性的な暴力、女性からの嫉妬と悪意にウンザリです

痴漢やストーカー、レイプ未遂など、いままで数えきれないほどの性的嫌がらせを受けてきました。長袖、ロングスカートなど、露出を抑えた服を着ても効果はなく、悔しい思いをしています。女性からも「きれいだと思っていい気になってる」と、集団で嫌がらせや中傷をされ、仕事も続きません。優しい夫、信頼できる友人は「バカどもと同じ土俵に上がるな」と、なだめてくれますが、消極的な対抗の仕方で、なんとなく溜飲（りゅういん）が下がりません。人からすればぜいたくな悩みかもしれませんが、私にとっては深刻です。外出するたびに嫌な思いをするのは、もうたくさんです。（31歳・主婦）

私も若いころ、同じような体験をしましたよ。『紫の履歴書』でも書いたけれど、やぼったい夫婦がやってる店に雇われたときなんか、亭主にも女房にも迫られて、どちらの求愛も受けるつもりがなかったから、仕事を失わざるをえなかったり。ヤクザに「俺の情婦になれ」なんて、しつこく追い回されたりしたことも、1度や2度じゃありません。だから、若いころの私は、防御策をいろいろと考えたものですよ。髪なんて、いつも坊主に近い短髪。いまみたいにガスがなくて、薪で煮炊きをしてた時代だから、鍋の外にびっしりと鍋墨ができるんだけど、その鍋墨を顔に塗ったりね。チリ紙でちょいちょいとこすると、自然な感じで目のクマができあがるわけ。いつもニンニク食べたりね。

伸ばせるようになったのも、ずいぶんと年をとってから。さすがに若いころほどナンパはされないから。それでも「今日は目立ちたくない」と、お化粧も洋服も地味めな、そこらの上品な奥さんのような感じで街を歩くと、おっちゃんやら兄ちゃんたちが「ねえねえ、奥さん。時間ある?」なんて聞いてくる。バッチリお化粧して、ファッションも満艦飾のケバケバしいのにしちゃうと、逆に誰も寄ってこない。男たちが怖がっちゃうのね。

目立たないファッションとメークは逆効果なんですよ。痴漢もね、狙うのは、おとなしそうな、おぼこいタイプなんですよ。女子高生でも、ヤマンバみたいな女の子より、三つ編み

にして、ひざ下丈のスカートはいてるような女の子が狙われちゃう。痴漢するような男は反撃されたくないんだもの。ヤマンバに手を出したら逆に手をつかまれて「てめぇ、何してんだよ」なんてギャーギャー大騒ぎされたら大変だと思って、声を出せないような、泣き寝入りしそうなタイプに行くわけ。だから、あなたは、わざわざ痴漢するような男が好むタイプの女になっていた、ということ。これからは、男が嫌うタイプの女を演じるようにすればいいんです。

ゲスな男たちが嫌うのは、女の自信と知性。逆にオドオドして地味な女は、欲望を向けられやすいんですよ。男の征服欲を簡単に満たしてくれそうなタイプだから。男から見て、気が強くて、頭のよさそうな女とは、どういうタイプか？　いちばん効果的なアイテムはメガネです。だてメガネでいいから、外出時にかけてごらんなさい。黒縁の四角形のロイド風のものか、金縁の教育ママ風のものが望ましい。サングラスは色気を感じる男も多いから逆効果だけど。それから、髪の毛はベリーショート。大工さんが女装したのかと思うほど髪を短くして、でっかい黒縁メガネをかけたりしたら、男たちはサーッと潮が引くようにいなくなりますよ。肩くらいのセミロングなんて、いちばん危ない。それで薄化粧に楚々としたロングスカートなんかはいてたら「手を出してくれ」といってるようなもの。だから服装も頭が

よくて気も強そうな、バリバリのキャリアウーマンみたいなスーツスタイルで、パンツはお尻の形がでるような細身のものではなく、メンズ仕立てのようなものを選ぶようにすること。眉だって、目とまぶたの間が狭くなるように描き足して男眉にして、口紅だって、意志の強そうな赤をキリリと塗り、「ヘタに手を出したら、警察にしょっぴかれるかもしれない」と思わせるような自己演出をすることです。

最後にひとつ。ご主人や友人の、「バカと同じ土俵に立つな」という意見は正しいし、ねたみやひがみ、そねみは、美しさだけが原因で起こることでもありません。頭がよかったり、感性が優れていたり、何かひとつでも人よりも際立って優れていたら、そこに嫉妬(しっと)が生まれ、悪意に満ちた中傷が起きるもの。だから、あなた以外にも、嫉妬による中傷の波にもまれている人はたくさんいます。いちいち気にしていたら、本当に身がもちませんよ。やさしいご主人といい家庭が築けるのだから、それだけでも万々歳。カスの相手をしている時間なんて、もったいないでしょ。「そんな人たちは、私の人生になんの傷も与えられない」と思える強さを身につけることが大切です。

Q14 風俗の仕事で家計を支えていたので、結婚をためらっています……

付き合って8か月になる彼からプロポーズされました。でも、私は彼に話せないことがあります。2年前、父が大病を患い、1年間、風俗の仕事をして入院費や生活費をまかなったことです。両親にもホステスの仕事だと伝えています。言い訳のように聞こえるでしょうが、借金をしないためには風俗しかなく、悩んで考えた末の決断でした。彼についていきたいのですが、身体を売っていた私、嘘をつく私は、優しい彼を裏切っている気がして、とてもつらいのです……。

（26歳・事務）

一生、しゃべらないこと。というより、そんな過去、忘れちゃうのがいちばんです。あなたが抱えてる罪の意識やら後ろめたさと一緒にね。

別に人を殺したわけでも、ものを盗んだわけでもないのでしょう。人から後ろ指をさされるようなことなど、あなたは一切していない。

昭和30年代の半ばに売春禁止法ができる前までは、お女郎や花魁（おいらん）の例を挙げるまでもなく、身体を売ることは罪ではありませんでした。いまでこそ、売春禁止法のせいで犯罪だとされているけれど、その常識だって、たかだか30年ほどの間に作られた価値観のひとつにすぎません。男女関係なく、自分のものを売って何が悪いの？　他人のものを売ったのなら、そりゃ悪いことでしょうけれど。

姦通（かんつう）の罪で捕らえられた女に石を投げる人々を見て、キリストが「罪を犯したことのない人から、この人に石を投げよ」といったら、誰も投げる人がいなかった、という話が聖書にあるけど、それと同じで、あなたを非難する資格のある人など、どこにもいません。自分を恥じることなどまったくないのです。

だいたい、病気の父ちゃんの代わりに一家を支えたことを、誇りに思いこそすれ恥じる必要がどこにあるの？　自己犠牲の精神にあふれた立派な親孝行ですよ。家族全員の生活を支

えるのが、どれほど大変なことか。私にも経験あるから、よくわかる。ずいぶん昔の話だけど、私の親が病気したとき、生活費から弟たちへの仕送りから、私が全部、面倒を見ていました。私は身体は売らなかったけど、もう食うや食わずやでね、あちこちに借金頼みにかけずりまわって、散々に苦しい思いをしたものです。もちろん私は当時の自分を恥ずかしいなんて思っていません。あなただって胸を張るべきです。

「彼に嘘をつくのは彼を裏切ること」っていうけど、あなたね、何から何まで包み隠さず人に話さなきゃいけない法律なんてないのよ。あなたに限らず、人は誰でも他人にいえない秘密を抱えているものです。秘密にしておくことに罪悪感を感じる必要もこれっぽっちもない。わざわざ自分から余計な波風を立てるようなマネもおよしなさい。どんなことがあっても、しゃべっちゃダメ。墓場の中まで持っていくつもりでね。

大丈夫、絶対にバレません。それは安心していい。第一、証拠も残っていないでしょ。5年も6年も勤めていたわけでも、雑誌やらに顔を出していたわけでもない。たった1年のことだもの。万が一、昔の客にばったり会ったとしても、知らんぷりしてればすむこと。何かいってきたら「失礼な人ね。人違いですよ。警察なり裁判所なり、出るところに出ましょうか」って毅然（きぜん）としていれば、それ以上、相手も深入りしないものです。

優しくしてくれるダンナさんが見つかってよかったね。彼はね、いままであなたが家族のために自分を犠牲にしてきたご褒美として、神様が与えてくださったんですよ。そう考えれば、風俗の仕事をしていたことも意味があったわけ。発想の転換はどんどん図るべきですね。せっかくの風俗の経験なんだから、これからは彼だけを喜ばせてあげるためにしっかりサービスしてあげればいいじゃない。風俗時代は、性生活を円満に運ばせるための学校へ行っていたと考えればいい。留学期間だったんですよ。学んだことを活用して、彼を歓喜の極みへと昇らせてあげなさい。昼も夜も円満なら、それがいちばんでしょう。

なんの心配もせずに、彼のもとへいきなさい。あなたが気にすることは過去のことなんかではありません。これからのこと、彼とこの先、どう幸せになっていくかを考えることこそが、あなたがしなくてはいけないことです。

Q15 子供ができない理由を義父に伝えづらくて、ストレスがたまります

結婚して7年間で3度、流産しました。検査で、原因は夫にあることがわかりましたが、夫婦で話し合い、仲良く生きていこうと決めています。が、音信不通だった夫の父親が最近、現れては「孫が見たい」「子供がいて初めて夫婦になれる」と、週に1、2回来てはいい続けます。義父は流産のことは知りません。何度もいおうと思ったのですが、生々しくて……。どう伝えるべきでしょうか。夫に母親はなく、義父は再婚していますが、奥様と会ったことはありません。

（28歳・主婦）

余計なおせっかいじゃないの、このオヤジ。まったく、こういう種類が滅びないからダメなのよ。

これはね、もう本当のことをはっきりいったほうがいい。グジュグジュ、ジクジクして、「どう伝えたらいいのか」なんて悩んで、それで奥歯に物の挟まったような言い方で伝えても、このテのタイプにはなんの効果もありません。それどころか、こういう人って他人の話なんて聞いちゃいないから、事がますますややこしくなっちゃうの。

あなたたちが妙な遠慮をする必要がどこにあるの？　何年も音信不通だったくせに、顔を出した途端に父親ヅラするほうがどうかしてますよ。私なら「そんなに欲しけりゃ、あんたが生めばいいじゃないの」っていいますよ。子供ができない原因だって、いずれわかることなら、いまのうちにはっきりいっておいたほうがラクですよ。

寂しいのよ、このオヤジ。再婚してる、っていうけど、奥さんを子供夫婦に会わせることもできないんでしょ。たいしてうまくいってないもんだから、身近に可愛がる対象が欲しいだけ。それで赤ちゃんができたらできたで、家にもぐり込もうとか思ってるはず。こんなオヤジ、本当は来させないようにするのが一番なんだけどね。

あなたのところに限らず、子供がいないことをあれこれいわれる夫婦って多いんだけど、

そんなバカげた考えに影響されることはまったくない。子供がいないことが恥や欠点だとか、夫婦失格であるかのような考えは、差別以外の何物でもありません。そんな考えを持ってたり、子供のいない人にそんな考えを平気でいえるような、卑しい差別意識に毒されたほうこそ恥。人間失格なのです。

あなたたち夫婦みたいに、子供がいないからこそ、密度の濃い愛情をお互いに持って、楽しく充実した人生を送っている人たちはたくさんいるでしょう。逆に、子供がたくさんいたとしても、ろくでもない子ばっかりでさ、グレちゃったりクスリやったり家庭内暴力やったり援助交際したり、問題起こしてばっかりで、それで愛情も何もかも忘れちゃって、生き地獄みたいな人生を送ってる夫婦だってたくさんいる。子供を生むってことは、心配のタネを生むということ。子供がいないほうが幸せなことだって、たくさんあるんだから。

この世で一番醜いものが差別なら、一番強いものは真実。真実に勝るものはありません。仮に自分にとって不名誉に思われることだとしても、最初に自分のほうからズバッといっておけば、後がラクですよ。私も『紫の履歴書』で、貧乏だったときに客引きやってたとかホームレスだったとか、正直に全部書いちゃってるもの。いい逃れしたり嘘ついて、いつバレるか、ってビクビク暮らす必要もないしね。以前、話題になった誰かさんじゃないけど、

大学やらなんやら、嘘で固めるから、いい逃れのために新しい嘘ついて、ますます身動きがとれなくなるんですよ。

あなたの場合はご主人に原因があるとのことだけど、自分に不妊の原因がある場合でも同じこと。それを自分で恥ずかしく思う必要などまったくありません。最初に毅然と「これこれが原因で子供はできません。でも、夫婦で話し合って、一生、愛し合って仲良く生きていきます」と、伝えるべきことを伝えておけば、それ以上、何もいわれなくなるものですよ。それでも何かいってくるようだったら、このページを見せるなりして、そういった人たちの卑しい差別根性を叩き直してあげるくらいでいい。自分たちの愛情ある穏やかな生活を、百害あって一利なしの毒された考えの犠牲にするなんて、もってのほかです。

Q16 セクハラ・女性軽視の職場にいる意味はあるのでしょうか?

29歳・独身のOLです。将来的にも、特に結婚にこだわるつもりはありませんので、しばらくは仕事に力を注ぎたい、と考えているのですが、私が現在、勤めている会社はセクハラがひどく、また、女性は「仕事を教える必要がない存在であり、いてもいなくてもいい」と男性社員からみなされ、仕事に打ち込みたくても、させてもらえないのが現状です。友人は「そんな会社は辞めるべき」という人と、「改善のために頑張るべき」という人に分かれており、私自身も迷っている状態が続いています。どう考えて答えを出すべきか、アドバイスをお願いいたします。

(29歳・OL)

この相談だけでは、あなたの職種や現在の職場における地位や責任の大きさなど、よくわからないことも多いから、一概にはいえない部分も出てくるけれど、少なくとも、我慢ならないほどにセクハラがひどいのだったら、いる必要もないいんじゃないの？　でもね、セクハラのない会社なんて、絵に描いた餅（もち）でしかない、って現実も同時に知っておいたほうがいいですね。セクハラのない「社会」っていうのは、どこにも存在しませんよ。

だから、転職先でセクハラされたとしても、「あら、私ったら、そんなに魅力的なのね」くらいに受け流す度量も必要になってきます。確かに、いやらしいことこのうえないし、道義的に見たらとんでもないことだけれど、男と女がいて、女が魅力的だったら男は見るし、触りたくもなる。好きな男に触られるんだったら、めでたくて結構だけど、イヤなやつってでもない、という気持ちはわかりますよ。最近では女が男に対してセクハラするのも増えているし、こうなると、セクハラがなくなるなんてことはますますありえませんね。

セクハラを防ぐ手段のひとつとして、外見的な女性らしさを一切、排除するという方法も、あるにはありますよ。すっぴんで、髪も「スポーツ刈り？」ってくらいの、板前さんみたいなショートにして、いつでもどこでもパンツスタイルで。それで仕事をバリバリやれ

ば、男の同僚も、あなたを職場のカワイコちゃんとしてではなく、競争相手として見るでしょう。でも、そのかわり、競争相手として見られる分、嫉妬やら足の引っ張り合いも壮絶を極めますよ。男の嫉妬の根深さに比べたら、女の嫉妬なんて可愛いもの。男の場合は、自分のプライドと、社会的な立場やら出世やらがグッチャグチャにからんでいるから、足の引っ張り合いも、もっと陰湿になる。仕事で成功するかどうか、出世するかどうかが、多くの男たちの存在理由になっているんだもの。生きるか死ぬかの生存競争ですよ。その中に、あなたも飛び込んでいくのだから、情け容赦は一切ない。そのことは覚えておくべきね。そこまですさまじくてドロドロした世界に入っていきたくないのなら、適当に可愛がられたりセクハラされながら、ラクな仕事をする道を選んだほうがいいでしょう。まずは自分の決意がどれほどのものなのか、わたしの言葉を参考にしながら判断なさい。

そして、「どうしても仕事をしたい」というのなら、会社を辞めるべきだと私は思います。会社の体質を変える、と言葉にするのは簡単だけど、実際に変えるのはまず無理でしょう。会社というのは利潤を生み出すために存在しているのであって、存在そのものが正しいか、平等かを問われるために存在しているのではないのだから。どうせ変わらないものに対してムダに努力をするくらいなら、その努力は別のことに回すべきです。女だけの会社や、女も

バリバリ仕事ができる会社に入るとか、自分たちで会社を興すとかして、それこそ血ヘド吐くまで自分のやりたいことを追求するほうが、よっぽど建設的でしょう。

ただ、転職先で、「最初のイメージと違う」と失望することがあっても、それも当たり前のことだと覚悟を決めておく必要はあります。どんな世界にも本音・タテマエ、裏表があるように、外から見たイメージと入ってみたイメージが違うのは当然のことですからね。会社と結婚っていうのは、一緒になってみないと、入ってみないとわからないもの。だから、裏表のない会社に行くことを目標とするのではなく、その裏表のある世界で、自分のやりたいこと、自分ができることを突き詰めていくことを目標にするべきです。

とはいえ、このご時勢、仕事を探すのは大変ですよ。そうおいそれと、満足のいく仕事が見つかるとは限らない。だから、必ず、次の仕事先を見つけてから、いまの会社を辞めること。次のステップも決めずに会社を飛び出すなんて、「仕事に力を注ぎたい」と考えている29歳の人間のやることではありません。そこまで後先を考えない、子供っぽい行動が、ビジネスの世界で通用するはずがありませんからね。まだ先は長いんだから、自分を捧げる、賭けるにふさわしいものを、じっくりと見極めていくこと。あなた自身の、人間としての成熟度も、今回のことで試されているのです。

Q17 母の異常な干渉に縛られ、自分らしく生きることができません

子供時代から、すべてが母の異常な干渉の下に置かれています。ブティックや美容室でも「このスタイル、あなたのお母さんが怒らない？」といわれ、友人も「あなたを誘うと私たちが怒られる」といいます。私が自分で決めた就職も、「私に相談もなく！」と、裏から手を回してつぶす徹底ぶり。レストランでは好きなものさえ注文できず、ひとり暮らしをしたときは留守電に何十回も「どこに行ってるの？」とメッセージが入りました。母の弟や妹が咎（とが）めても聞く耳を持ちません。折檻（せっかん）され続けて、反抗する気力もありません。私は、ただ自分の人生を生きたいだけなのに……。

（35歳・会社員）

35歳の人間の悩みじゃありません。殴られても耐えるしかできない子供じゃあるまいし。年齢を考えれば、あなたのほうがはるかに肉体的に強いはず。どうして殴り返すなり蹴飛ばすなりして意思表示をしないわけ？ 暴力ふるわれ続けて、気持ちが萎縮してるのなら、合気道でもボクシングでも習って気持ちの面から強くしていけばいい。自分の弟や妹に咎められても聞く耳を持たない人だから、いまさらあなたが話し合いに持ち込もうと思ったってムダです。目には目を。鼻っ柱をヘシ折るつもりで一発ガツンと食らわせてやればいいの。腕をつかんでねじり上げ、虐待を受けるほうの気持ちを味わわせてあげるのだって親孝行ですよ。娘を所有物だと思っているような人は懲らしめてやらなくちゃいけないんです。

それがどうしても無理だったら、慰謝料代わりにお母さんの通帳からあり金すべて引き出して、行方をくらまして暮らすべき。せいぜい1人や2人の信用できる友達に、事の次第を話して、部屋を借りる際の保証人になってもらえばいいし。お母さんが八方、手を尽くしても、あなたの行く先がわからないようにね。一切、音信不通、なしのつぶてで家出してかまわない。つまり、見捨ててしまっていい、ということです。お母さんを見捨てて生きていくことを選んだ場合、彼女に不動産なんかの財産があるとしたら、それをもらうのは諦めないといけないけれど。自由を選ぶか、財産を選ぶかはあなた次第です。本当に自分の人生を生

きたいのなら、覚悟を決めなきゃいけないもの。いま、扉の開いているオリから逃げ出しもしないペットのような生き方を選択してるのも、あなた自身なのです。

お母さんにしても、娘を所有物のように扱ってきたことの報いを受けなくてはいけない。〝右の頬をぶたれたら左の頬を出せ〟なんて言葉のとおりにしたら、両方ぶたれて踏んだり蹴ったり。あなたが悲劇のヒロインを気取っても、相手が増長するだけです。殴られたら痛い、ということを身をもってわからせてあげるのも愛情のひとつ。ぶたれたら、それ以上に殴り返し、「わかった？ 殴られると、こんなに痛いのよ。あなたは何十年も、こんな痛みを私に与えてきたの」と、きちんとわからせてあげないと。それをしないで、オドオドしていたあなたは、ある部分で、お母さんの犯罪を幇助していたんですよ。罪を犯させる罪、というのも、この世には存在するのです。

私のこの話を「もっと話し合いをしなければ。やり返したり見捨てたりなんて、とんでもない」と受け止める人もいるでしょう。そんな人たちに、私は次の話をしたいと思います。

昔、人様の子供をさらっては食い殺す、悪魔の化身、夜叉そのものといった女がおりました。やっと授かった子供を、その女にさらわれ、殺された親たちは、ただ泣きの涙で途方に暮れるばかり。ほかの親も、自分の子供がさらわれないように、ビクビクしながら、息を詰めて生活し

ていた。泣かれ、恐れられているだけだから、女は増長するばかりだったの。自分にも千人もの子供がいて、ひとり残らず溺愛していたにもかかわらず、他人様の子供をさらっては食い、食っては捨て、を繰り返していたのね。それをある日、お釈迦様が、千人の子供の中でも、彼女が特に溺愛していたひとりをさらい、どこかに隠してしまわれた。どこを探しても愛するわが子が見つからない彼女は、絶望の中で泣きわめく。涙の海に溺れる彼女の前に現れたお釈迦様は「いまから、お前の子供を崖の下に叩き落とす」とおっしゃった。「ああ、それだけはやめてください」と、新たな涙に身をやつす彼女に、お釈迦様は「千人の中の、たったひとりの子供がいなくなっただけでも、お前は嘆き悲しんでいる。ひとりしかいない子供をお前に食い殺された、親の気持ちを思ったことはあるのか」と諭された。その言葉に、彼女は目覚め、改心し、それからは子供を守る『鬼子母神』として、生まれ変わったのです。

先ほどにも「魔界から来た連中には、彼ら以上に鬼にならねばならないこともある」と話したのは、まさにこれが理由です。お母さん以上の力でねじ伏せるにしろ、行方をくらますにしろ、お母さんを悔い改めさせるには、殴られた痛みや、子供に見捨てられる悲しみを味わわさせてあげるよりほかにないでしょう。35歳にもなってその覚悟ができていないなら、あなた自身が子供であると見なされても仕方ありません。

Q18 盗癖があり、お金に汚い姑にほとほと嫌気がさしています

別棟に住んでいる姑の盗癖に困っています。冷蔵庫の食品、使わない食器などを勝手に持ち出すのです。1度、主人を交えて話し合いましたが、姑は「嫁のくせに口ごたえする」と逆に怒り出すのです。私が子供の進学資金のため、働き出してお金を貯めていることを主人から聞き出し、「よこせ」ともいってきます。美輪さんの「魂を磨くため、神様は悪魔をよこした」という言葉を思い、姑が何をいっても何をしても「病気、病気」と唱え、頑張ってきましたが限界を感じることもあります。主人は長男、本当におとなしい人です。こんなふうになっても文句ひとついえません。

（41歳・主婦）

私が「ああしろ、こうしろ」といわなくても、あなたは、もう自分で答えを出していますよ。「姑が何をいっても何をしても、〝病気、病気〟」と唱えて流していること。それが答えです。何も間違ってはいません。ただ、なぜ限界を感じることがあるのか、というと、あなたが、まだ心のどこかで彼女を〝姑〟と信じて疑っていないから。そこが唯一の間違いといっていいでしょう。

彼女は、ただの底意地が悪くて盗癖のある姑などではなく、病人なの。心の病に深く侵されている病人なんですよ。だから、あなたも自分のことを、「私はこの家に来た嫁だ」と考えるのではなく、「私は看護婦で、担当するのは、この70すぎで、心の病にかかっている女性患者だ」と認識し直す必要があります。彼女の日ごろの様子を、いつもいちばん近くで見ているあなたなら、私のいっていることが理解できるのではないかしら。しかも、この病気には確固たる治療法がないし、発作が起きても、鎮める薬もないわけ。ただ本人が自分から発作をおさめるのを待っていれば、とりあえずは静かになるから、あなたがどうこうしてあげることもない。彼女の盗癖や、すぐに怒り出す性格などは発作の一例。いちいちまともに相手をしてあげることはありません。あなたがやきもきしなくても、あと10年もすれば、そろそろあちらからお迎えがくる時期なのだから、それでお役ご免。あなたも退職できる。さ

らにラッキーなことに、退職金もたっぷり入ってくる。彼女、せっせと貯め込んでいるんでしょ、お金に汚いんだから。しかも、あなたのご主人は長男。結局、そのお金は、あなたたちの将来のために、その患者さんがプールしてくれているのと同じこと。彼女、貯めるのはとっても上手よ。たったひとりの患者さんで、その担当が終わった瞬間に莫大な退職金なんて、普通の病院なら、そうはうまくいきません。

私は常々〝正負の法則〟ということを話しているけれど、仮に彼女が、とてもよくできたお姑さんだと想像してみましょう。彼女が亡くなれば、あなただって心から悲しくなるし、喪失感も味わうでしょう。でも、いまの彼女なら、亡くなったときにあなたが味わうのは解放感。世の中、うまくできているでしょう？　これを〝正負の法則〟と呼ぶのです。

最初にもいったように、あなたは正しい道を歩いています。ただ、気をつけなければいけないのは、あなたの年齢。41歳なら、そろそろ更年期障害も始まるころだから、心身ともに影響が出てくるでしょう。イライラが募ったり、肉体的な不快感を覚えることも増えてくるだろうけど、それは姑のせいでもなんでもなくて、更年期のせいだと自覚しておく必要があります。へたに姑のせいだと思うと、ますますイライラが募るから気をつけるべきね。

さらに注文をつけるなら、「自分の母親に盗癖がある」という事実に直面している、あなた

のご主人に対する配慮をしてほしい、ということ。もし、自分の母親がお金に汚くて盗癖があったら、と想像してごらんなさい。どれほどの悲しみ、やりきれなさに襲われることか。もし、ご主人が、はるか昔から自分の母親の盗癖に気づいていたとしたら、子供のころには「いっそ死にたい」と思ったことだってあるかもしれない。そんなつらくてみじめな時期が長く続きすぎたからこそ、何もいえない人になってしまったのかもしれないでしょう。いちばんつらいのは、あなたではなくご主人だと、あなたにはわかってほしいのです。

ご主人は、あなたよりも長い期間、ずっと耐えていたのかもしれない。だから、「あなたの母親には盗癖があるのよ」と、ご主人にこぼす前に、「お義母さんがああいうことをして、いちばんつらいのはあなたなんでしょう。いままで気づいてあげられなくて、ごめんなさいね」と、ねぎらいやいたわりの気持ちを見せてあげてほしいの。その言葉に、どれほどご主人は救われるかわからない。あなたたち夫婦の絆がさらに強くなる、という〝正〟が、姑の盗癖、意地汚さという〝負〟から生まれるのです。姑が亡くなり、あなたの子供が連れ合いをもらうとき、あなたは彼女を反面教師にし、婿や嫁といい関係を築くこともできる。それも〝正負の法則〟。あなたの将来は、姑という強力な負があるからこそ、〝正〟に満ちている。そのことさえ忘れなければ、あなたの未来は保証されたも同然ですよ。

Q19 姑と舅のイジメに、どのような心構えでいるべきでしょうか

東京から田舎に嫁に来て15年、義父母の執拗(しつよう)な攻撃にまいっています。いつもなら聞き流せる悪口も、疲れているときには残ってしまい、体調にも影響が出てくることがあります。夫も、私のいうことは信用せず、姑の口から出た嘘を信じるばかり。姑はますます図に乗る始末です。美輪さんの本を読み、「人間には魔界から来た連中もいる」と知り、だいぶ気持ちは落ち着いてはきましたが、同時に「こんな人たちに囲まれて、精神の修行のかいがあるんだろうか」と自問してもいます。こんな環境でも心正しく生きていきたい、と思っていますが、いつか報われるのでしょうか。

（42歳・主婦）

確かにきつい状況だけど、「修行のかいはあるのだろうか」と思うのは、むしろ逆です。キリストや釈迦の例を持ち出すまでもなく、きつい状況は、魂の〝位〟の高い人にこそ訪れる。だから、日常的なものであれ突発的なものであれ、大きな試練は、あなたがいうところの「修行の意味をなくすもの」ではありません。試練をどうねじ伏せるのか、やり過ごすのか、乗り越えるのか。クリアするために試練がある。だから、修行の意味をなくすものではなく、修行の対象そのものなのです。この地球というところは魂の修行場、心を強くするための道場です。悪意、ねたみ、そねみ、ひがみで構成されているこの地球に、きれいな心をより強くきれいにするために天界から修行に来ている人たちがいる。同時に、汚い心をより蔓延(まんえん)させるために魔界から来た連中がいる。魔界から来た連中は、ありとあらゆる手を使って、天界から来た人間をいじめたり、誘惑したり、滅ぼそうと努めている。きれいな人間を、自分たちの汚い場所へと引きずり込むことが、魔界の連中の修行にあたるのね。だから、心のきれいな人間を、どれだけ魔界に突き落としたかで、彼らのランクが上がるわけ。ほんとに悪魔・魔界人っていうのはずるがしこくてね、笑って人を刺せるよう、右手にバラを、左手に短剣を持っている。それが悪魔の正体であり、ひいては、世間の正体です。

でも、天界から来た人たちだって、魔界から来た連中に突き落とされるのをただ待つため

だけに、この世に生を受けてきたわけじゃない。天界人の修行は、魔界人からの誘惑に負けそうになったり、イジメに屈しそうになったりといった困難な状況の中でも、あらゆる汚い欲望や誘惑に引き込まれまいと努めること。でも、やはり悪のパワーのほうが強いから、引きずられてしまうこともある。どん底に突き落とされ、神様を呪(のろ)いたくなって、「悪魔にでもなってやろうか」と思うことだってある。そんなとき、「いや、これではいけない」と、自分を律し、軌道修正していく。その姿勢こそを「修行」と呼ぶんです。

舅(しゅうと)・姑(しゅうとめ)という魔界人のもとに嫁に来ることになった人生は、あなた自身が生まれてくるときに選んだコースです。前世で修行し残したことを克服するために、あなたが自分で選んだ試練なんですよ。だから、いまのイジメを柳に風と受け流して、「そうそう魔界に染まるもんですか。あなたたちの魂胆は見えてるわ」って、ニッコリ笑ってドンとやり過ごせるようになれば、その修行は終了。同じコースを選んで生まれ変わることはない。実際、うまく受け流すこともできるようになってきているのだから、ここで自分から白旗上げるのはもったいない。つらいのはわかるけど、受けて立つべきですよ。

あなたが嫁いだのは、かなりの田舎のようだけど、田舎っていうのは、封建的だったり、イジメが陰湿だったり、悪意の濃度が高いからね。閉ざされた世界は特にそう。あのダイア

ナ妃だって、王室の中で姑であるエリザベス女王からのイジメはもちろん、夫のチャールズからは浮気までされていた。あなたの夫が姑の味方をするのも、血のつながりを考えれば当然のこと。夫と妻の間には、信じるか、愛するか、という細い糸があるだけだもの。その糸をどれだけ強くしていくかが、夫婦関係のありかたなんだけれどね。

ただ、救われているのは、あなたは現代の嫁である、ということ。昔は、嫁に行くということは、その家の奴隷になることを意味したから。昔の嫁は、大雪の日に裸足で外に叩き出されたり、姑に天秤棒で殴られて、手が上がらなくなってしまったり、もうそんな人がたくさんいたのです。いまのあなたは、肉体の暴力がない分、まだマシなほう。止めようのない肉体への暴力は、おびえを生み出し、考える能力まで奪ってしまうけど、いまのあなたの状況なら、「自分はどう生きていくべきなのか」ってことを考えることはできるはず。舅・姑の罵詈雑言を、いつでも馬耳東風と受け流せればしめたもの。発想の転換を図って、この試練を乗り切ってほしいわね。私の本を読んでいるのなら、『人生ノート』にしろ『ほほえみの首飾り』にしろ、姑の目のつくようなところに置いておいたらどう？　手に取った舅・姑の目からウロコが落ちるかもしれないし、「ああ、嫁はこんなものを読んでいるのか」と、あなたを見る目が変わり、取る態度も変わってくるかもしれませんよ。

4

人と国を救うのは文化・美意識

終戦直後の荒廃から、日本はたった50年間で、世界でも1、2を争う〝豊かな〟国になったといわれています。確かに、街並みは焼け野原ではなくなりました。では、人々の心の中はどうでしょうか。凶悪な少年犯罪、陰湿なイジメ、自殺……。豊かな国になったはずなのに、心の中は荒れ放題。ますますひどくなる一方です。

焼け野原には道ができ、家やビルが建ちました。では、心の焼け野原には、何が必要なのか。それは文化です。金欲・物欲・色欲ばかりに気をとられ、日本人がもっともないがしろにしてきたものです。いま、文化こそが必要なのです。

文化は心のビタミン

身体の健康を保つために、ビタミンはとても大切でしょう。心だって、身体と同じです。ビタミンを補給してあげないと、心も不健康になってしまうのです。冷たくてギスギスして、ささくれだって情緒障害を起こした心には、温かくて優しくて、ロマンティックで美しいものを補給してあげなければいけないのです。美しい絵画、心が穏やかになる音楽、美しい日本語を堪能できる書物。そういうものに常に囲まれて暮らしてごらんなさい。気持ちが安らかな感動で満たされるはずです。日々、生活していく中で、その安らぎはますます深く

なる。心の健康が取り戻されていくのです。

消費不況なんていわれて、ものが売れない時代が続いているといわれていますが、何もかもが売れていないわけではないでしょう。中原淳一さんの回顧展に、多くの若い人たちが列をなす、フジ子・ヘミングさんのピアノリサイタルが満員になる。私の舞台にも、多くの方がいらしてくださる。みんな、本当の文化に飢えているんですよ。ただ、知らなかっただけなんです。

建物などのハードは、もう十分。コンクリートを打ちっぱなしにした、灰色の醜い建物であふれかえっています。だから、公共事業という名目で、土木工事にお金を出しても、昔のように2次的、3次的な経済効果は期待できません。ですから、今度はソフト、すなわち、文化面を充実させていくことを考えなくてはいけない。いい映画、いい舞台、いい音楽、美しい建物、街造り。それらに力を入れれば、人はお金を出すのです。でも、それが、ねずみ色の背広しか着ない、頭が終戦直後の政財官界人たちはわかっていないんです。この頭の固さが、いまの日本をダメにしているのです。政治家も企業家も役人も警察も校長たちも医者もみんな、すぐにバレるような嘘をつき、バレると今度は苦しい言い逃れをし、しぶしぶ謝る。卑怯、卑劣、恥知らず。これが日本男児の本質なのです。情けないことですが、本当だ

から仕方がありません。

ねずみ色の日常から抜け出す美意識を

文化のない生活は、色にたとえると、馬鹿な政財官界人の背広の色です。どぶねずみ色か、黒。毎日毎日がそんな色で満たされたら、心だって病気にもなりますよ。色彩心理学を少しかじっただけでもわかることです。

対して、文化のある生活とは、明るくて温かい色に満ちあふれているとたとえることができるでしょう。決して毒々しい色ではなく、どこかほのやかな、パステル調の色。ならば、想像の世界だけではなく、実際の日常も、日本中そういう色で満たせば、日本人の心だってもっと健康になるでしょう?

高い安いは問題ではありません。自分の好みに合った、美しい色とデザインのもので周りを固めていけばいいのです。いまの時代、どの商品をとっても機能性は似たり寄ったりですから、デザインがものをいいます。実際、若い人は、デザイン中心でものを選ぶ習慣がついています。半透明のパステルカラーのパソコンが大当たりしたでしょう。ポップな色のイスなども飛ぶように売れている。少しずつですが、状況は好転しています。ただ、ハードしか

頭にない、頭の固い企業が追いついていないだけなんです。

お金がなくたって、工夫はできますよ。若い子たちが、タンスや机を拾ってきて、ペンキて再利用していたりする。きれいな色の布で天井や壁を覆ったりすでは、そういう特集をよく組んでいます。

私も、若いころ、貧乏だった時代はありました。そういうときだって、ピンクと黒のベルベットとレースを生地屋さんで安く買ってきて、自分でカーテンなどを作って、インテリアを統一していました。照明と音楽にも工夫をこらして。そうすると、6畳一間でも自分だけのお城になるのです。美意識と経済力は別物なんですよ。お金をかければいいというものではありません。要するに、ちょっと頭を使えば、気配りをすればよいのです。

文化のある生活。優しい色に囲まれた生活。考えただけでも心が温かくなって、優しい気持ちになってくるでしょう。そういう気持ちになることが、あなたを心の荒廃、ストレスから救ってくれるのです。

Q20 「塾に行かない」と泣きわめく子供をどう説得すればよいでしょう

小4の息子に、1週間に塾に2回、スイミングスクールに1回、通わせていますが、「塾に行かない」と泣きわめいたり、物を投げたりするので困っています。塾は国語、算数、英語と続けて3時間あるので、子供にも疲れるとは思うのですが、将来のことを考えると、やめていいとは思えません。お金もかかっているし、なんとか素直に行かせる方法はないでしょうか。以前は、泣いたらゲームソフトを買い与えたり、どこかに連れていくことで解決していましたが……。

（35歳・主婦）

首根っこ引っつかんででも行かせなさい。ただし、あなたが子供を殺したいと思うのならね。小4にもなる子が、泣きわめいたり、物を投げつけたりするのって、大変なことですよ。3、4歳の子のかんしゃくとは違うんだから。それは、子供が危険信号を発しているとみるべきでしょう。あなたの子供、情緒障害を起こしかけているんですよ。

手紙を見る限り、学校やスイミングスクールに行くときは、そんなふうにはならないようね。だったら、なぜ塾に行くときだけ、そんなふうになるのかを、あなたがまず考えなきゃいけない。子供がいいたくてもいえない問題が塾の中にあるかもしれない。例えば、いじめとかね。今の時代のいじめっていうのは、本当に救いようがないほどひどくて、いじめられている子供は親や先生に自分がいじめられていることを伝えられない場合が多い。いったら、さらに陰湿にいじめられるから。ものすごくイヤな先生や生徒がいるってこともある。あなたの子供は、魂が悲鳴をあげている状態。もうギリギリの精神状態なの。それに気づかなければ危ないですよ。

「将来のため」とかいってるけど、情緒障害を起こしかけているのを親にも気づいてもらえないままの子が、親やら周りの大人たちにせかされるまま、いい大学やいい会社に入ったところで、それが「将来のため」だといえるの？

会社に入ったはいいけど、その時点で目標を見失ったり、やるべきことを自分で考えることができずに取り残されていく人も多いんですよ。また、一流と呼ばれている銀行員や商社マン、官僚、政治家の後ろに手が回るのが当たり前のような時代になり、オウムの信者に高学歴の人間が多いのを見てもわかるように、いい成績を取ることが将来のためなんていえないでしょう。内面的な欠陥を抱えたまま、いい学校、いい会社に進むのか。それとも学校や会社は大したことはないけど、豊かな心で、愛情にあふれた人生を送るか、どちらが幸福かしら。

偏差値教育の弊害が、今の時代、服にこびりついて取れない染みのように人々を汚しているのを私は感じます。テストでいい点数を取ること、高い偏差値を取ること以外は無意味だとばかりに、誰もかれも競争に強制参加させられて、勝者とされるような人たちも、さっき私がいったような情緒障害や犯罪者という代償をしょいこんでる。あなたも、自分の子供を犠牲者にしようと考えてるのよ。つまりは、あなたの価値観が間違ってるのです。

あなたのいう「将来」は、高い収入があるかどうかってことじゃない。「お金もかけてるし」なんてこともいってるしね。あなたの価値観がお金中心で、それを子供に押しつけていること、それが一番の問題なのよ。あとは見栄ね。子供がいい学校、いい会社に入れば、あ

なたみたいな親としては、そりゃ鼻が高いだろうし、塾をやめるって世間体の悪さもあるでしょう。そんな考えを曲げないあなたのほうが問題です。教育というものを間違えてとらえているのはあなたです。

だいたい勉強なんて、なんであなたが教えないの？　小学生が塾で習う英語なら、せいぜい中学1、2年レベル。あなたにだってわかるはず。国語にしろ、算数にしろ、あなたが教えることもできますよ。家で一緒に勉強すればいいでしょう。親から勉強教えてもらえば、子供は親をバカにしません。自分はラクしようなんて思ってないで、あなたも勉強しなさい。それはあなたのためでもあるのよ。英語をしっかり勉強すれば話せるようになるんだし、国語を極めれば、これからの人生、素晴らしい本を読む喜びも得られるのだから。

Q21 親友が高校を去ったあと、残る私は学校で1人きりになってしまいます

高校2年の女の子です。いつも一緒にいる親友が、美容関係の仕事に進むため、学校をやめるんです。もちろん私は、頑張って生きていこうと思っている親友を応援したいと思っています。でも、彼女がやめると、私はクラスの中で孤独になってしまうんです。一応、仲間に入れてくれるグループはあるけど、女の子のグループって、途中から入っても、うまくいかないもの。こんな私はどうすればいいでしょう。こんなふうに考えること自体、自己中心的なんでしょうか。

（17歳・学生）

自己中心的っていうより、幼いのよね。高2っていったら、ルーズソックスはいてキャーキャーいってる中学生から見れば、もうオバさんなんでしょ。そんな人が、いつまでも幼稚園児みたいに、「隣のミヨちゃんやさっちゃんといっしょでなくちゃイヤ」なんてダダをこねてるようじゃ困ります。17歳は、もう大人になっていい年なの。そろそろルーズソックス気分は卒業しなきゃね。

だって、親友はあなたと同い年で美容関係の道に進むことを決めたんでしょ。つまり、彼女は自分の道を進もうとしてるわけ。社会人になる覚悟を決めてるのよ。なのに、あなたは「次はどのクラスメートと友達になろうかな」なんて考えてる。おかしいと思わない？ あなたも親友と同じく、自分のやるべきことを見つけなきゃいけないの。自分という人間を確立していい時期なのよ。

学生時代っていうのはね、いつ社会に出てもいいように、自分の中にいっぱい引き出しを作って、その引き出しのひとつひとつに質の高い商品をたくさんストックしておく時期なのです。商品の仕入れの時期なのよ。デパートと同じで、人間は質の高い知性や教養をたくさん備えていなければ、自分を高く売れないの。人から必要とされないのよ。しかも、最近ではデパートなんかも、ストックしてある高い商品を大安売りしなきゃ商売にならないようだ

けど、人間に関してもまったく同じで、自分に備わった商品を売り込まなきゃダメ。出し惜しみなんかしてる人は、すぐお声がかからなくなってしまう。

「まだ若いから大丈夫」

なんて思ってたら大間違いですよ。社会に出たら、次から次へとやらなきゃいけないことが出てくる。じっくりと自分を磨いているヒマなんてなくなります。今しかないのよ、自分を高めることに専念できるのは。

新しいグループの子とうまくいかないかも、なんて考えてるヒマなんかないはずね。入れてくれる、っていってるんなら入っときゃいいけど、それだって退屈しのぎ程度。あなたには、やらなきゃいけないことだらけですよ。

まだやりたいことが決まらなくても、自分の中に知性・教養という名の商品をためることはできますよ。古今東西の名作といわれる文学を読むのもいいし、音楽にしたって、高校生が聴いてるような歌謡曲だけじゃなく、クラシックやジャズにも名曲はたくさんあるし。お料理やお裁縫なんかを習っておくのもいいし、英会話を習うなり、仕事に使えそうな資格を取るのもいいでしょう。社会に出るなら、社会人らしいおしゃれやメークも勉強しておくべきだし、社会風俗も勉強しなきゃね。新聞もテレビ欄だけじゃなく、国際欄といわず経済欄

といわず、もう全部に目を通すくらいでなくちゃ。やることは星の数ほどありますよ。

社会に出たら出たで交友関係も変わるけど、あなたがこれから付き合おうと思ってる、高校を卒業するまでの、たかだか1年と少しの間の埋め合せみたいな友達とは、5年もたてば思い出話をする程度でしょうね。会うことだってないかもしれませんよ。お互いに仕事やら恋愛やらで忙しくなるんだし。

それに、孤独だなんだっていってるけど、人間というのは孤独なものです。誰でもひとりで生まれ、ひとりで死んでいくものです。ヒマつぶし程度の友達があなたの人生背負ってくれるかっていうの。自分の人生は自分で責任持たなくちゃいけないのよ。なんとか仲間に入れてもらおうなんてことしか考えられないなんて、ほんとにヒマな証拠。そんなことといってるヒマがあったら自分を磨くために、さっき私があげたような、いろんな勉強を始めなさい。

Q22 自分の顔に自信が持てず、失恋するのが怖くて告白もできません……

コンプレックスだらけの自分の顔にまったく自信が持てません。今まで付き合った人はいましたが、自分から好きになる男性は、私のことを好きになってくれず、失恋を繰り返しています。いま好きな男性にも「また断られるのでは」と思うと、告白できません。彼の気持ちはまだわかりませんが、とても面食いだと聞いているし……。彼の答えが怖いんです。20歳のころとは違い、恋にも臆病になってきます。ダメもとでも、自分の気持ちを伝えるべきなのでしょうか。

（26歳・会社員）

告白される男の身にもなってごらんなさいよ。コンプレックスの固まりの、表情も性格も真っ暗な女に告白されて喜ぶ男がどこの世界にいるっていうの。「付き合った人はいるけど、自分が好きになる人は振り向いてくれない」って書いてあるから、あなたも相当に高望みしてるのねぇ。惚れた男を面食いだとかいってるけど、あなたのほうが上をいってるね。

「ダメもと」だとか考える前に、告白された男が喜ぶような女になることを考えなきゃいけません。不細工なのが悩みなんだったら、どうして美しくなろうとしないのよ。看板やショーウインドーが汚い店にわざわざ入ろうなんて物好きいませんよ。いくら「いらっしゃーい」っていわれても、ちらっと横目で見て素通りするに決まってるでしょう。

最近ではツブれかけたお店を繁盛させるっていうテレビ番組が流行ってるけど、お客が来ないのには理由があるのです。このご時世に2時間待ちでなければ入れなかったり、予約が3か月待ちなんてレストランもあるんだから。インテリアや食器、音楽はロマンティックで心が温かくなるようなもの、従業員のサービスが洗練されていて気持ちがよく、お料理の味もよいところだけが生き残るの。どれひとつ欠けても商売にはなりません。ツブれそうなお店をごらんなさい。寒々しい内装、愛想のないサービス、食器ときたらぶっ壊したくなるくらいの代物で、厨房はゴキブリだって逃げ出すんじゃないかと思うくらいに汚いでしょ。音

楽は、メンドリが絞め殺されたような声の女が歌ってるディスコミュージックか、貧乏くさいド演歌。中にはテレビをつけっぱなしにしてるようなところまである。床なんか油でギトギトでさ、革靴なんかはいていったら滑っちゃう。仮にお味がよくても、そんなお店じゃ食欲わきませんよ。要するに、お客を集める企業努力を何もしていないわけ。そういうツブれかけたお店が、あなたなんです。

まずは努力してみなきゃ。頑張って働いてお金ためて整形手術することから始めてもいい。整形して幸せになった人もいっぱいいるんだから。髪を切るのも爪を磨くのも、ブラジ[illegible]くするのも、みんな整形なのよ。手術はやり直しがきかないから、[illegible]さんを選んで、美人になればいいじゃない。

本にしたって、雑誌から小説から漫画から、読んだものを全部インプットして、どんな会話にも対応できるようにね。男も「もう1度、話をしてみたいな」って思うでしょ。話し上手な女って、ほんとにモテるんですよ。

料理の腕を磨くのもいいでしょう。料理に釣られる男は多いから。料理に合う器の勉強もしなくちゃいけない。そうやって、ほかの女にはないものをたくさん身につけて、「料理で引っかからないんなら会話があるわ」って、臨機応変に対応できるようになること。それが

引き出しの多さになるし、魅力になるの。それは結局、自分のためにもなる。男が動機であってもね。自分に自信がつくでしょう。自信のある女は輝いてくるし、そうすれば、絶対にそれに見合う男が現れる。男のほうがほっときませんよ。

男も女も関係なく、あなたに限らず最近は、なんの努力もしない人が多すぎます。荒れ果てたお店をそのまんまにしておきながら、「お客が来ない」なんて悩むのは矛盾しています。〝働かざるもの食うべからず〟なんですよ。「なんにもない私だけど、素敵な人はいないかな」なんて、誰がいるかっていうの。高望みも面食いも結構だけど、幸せは努力をしてる人にだけ与えられるもの。あなたの場合、告白以前の問題です。

Q23 青春を謳歌しなかった私の過去に価値がないように思えて……

中学・高校時代は、ささいなことで騒ぐ同級生たちが子供っぽく見え、勉強ばかりの生活でした。一流といわれる大学に入りましたが、振り返ってみると、友人もいず、楽しかった思い出は何もありません。青春ものの映画や本を見たり、好きな男の子と付き合ったり、という周りの話を聞くと、「私は何をやっていたんだろう」と、情けない気持ちになります。大学生活も期待はずれだったためか、10代のかけがえのない時期をムダにしてしまった後悔をずっと引きずっています。私は、何か大切なものを失ったまま、これからも生きていかなくてはいけないのでしょうか？

（21歳・学生）

じゃあ逆に、高校生時代のあなたが、周りと一緒に遊びまくっていたら、と仮定しましょう。あなたはきっと「あのとき遊んでいなければ、いまごろ私は一流の大学に入って充実したキャンパスライフを送れていたはずなのに」という相談の手紙をよこしてきたでしょうね。遊んでたら遊んでたで悔いを残すのよ。あなたはどっちに転んでも後悔するのです。

そりゃあ誰だって人間だもの、逃した魚は大きく見える気持ちはありますよ。でも、どうもあなたは、逃した部分、失った部分ばかりに重きをおきたがる人のようね。演歌の女みたいに、未練の波止場にたたずんでいるんですよ。

あなたがそんな人間なのは、あなたが、この地球の決まりごとである正負の法則を知らないことが原因です。何かを得れば何かを失う。何もかも得ようと思っても、それは地球の法則に逆らうことだから不可能なんですよ。いまどきのガン黒・茶髪の女の子たちは、好き勝手に遊ぶかわりに、将来、勉強しておかなければならない仕事に就くことは諦めているわけ。自分の社会的な可能性を犠牲にしているのよ。そこに気づかなければ、あなたは誰のことも「羨(うらや)ましい」と思いながら生き続けていくことになります。

それから、これはもっと重要なことなんだけれど、あなたが「自分には思い出がない」と嘆いているのには、もっと大きな原因がある。あなたの生活に〝文化〟がないこと。これが最大

の欠点なんですよ。あなた、進学のための勉強はしてきたけど、一生を通じて自分の友人になれるような文化、文学や音楽や美術といった、楽しむための学問はしてこなかったようね。ただひたすらガリ勉だけやってきて、いざ時間ができたときに「自分の人生は無味乾燥だ」と、心に大きな穴があいてしまった。その穴をどうやって埋めればいいのかがわからない。仕事し[illegible]かしてこなくて、お金も名誉も得たはいいけど、むなしい思いを抱えている人たちにしても[illegible]はまる落とし穴に、いまのあなたもはまっているのです。あなた[illegible]るのではない。文化がないという、現在の姿の中にあるんですよ。

自分の中に文化生活があれば、何も10代に限定しなくたって、私みたいに一生青春でいられますよ。学校の勉強っていうのは、知識を詰め込むための強制労働。文化ではない。美しい音楽を聴いたり、素晴らしい文学や美術に触れたりすること、自分が心から楽しむために、自分から手に入れていくものが文化です。そうすると、文化活動、文化生活を通じて友達もできてくる。音楽でいえば、ドビュッシー好きならドビュッシーの同好会、ショパン好きならショパンの同好会の人たちと巡りあえるし、手芸が好きなら、手芸サークルの人たちと交われる。インターネットを使えば、ますます同好の士は見つけやすくなるはずよ。

好きなものを共有できる人が自分を待っていると考えれば、たかだか6年間の中学・高校

時代だけが、あなたの青春なんかじゃないことに気づくでしょ。その時期だけが人生の大切な期間だなんて、いったい誰が決めたの？　人生は先のほうが長いのよ。これからの何十年を、青春にするもしないもあなた次第。私にいわせれば、あなたはまだお腹の中にいる状態ね。社会にオギャーと生まれてからが勝負ですよ。社会に出てから、本当の青春が始まります。学校で読み書きの基本をしっかりやっておかないと、文化を味わうのは無理なんだもの。あなたは、とにかく基本はしっかりやってきたんだから、すべてはこれからの話です。

私が常々いっているように、心の穴を埋めるのは、心のビタミン、すなわち文化しかありません。文化がある生活をしていたら、充実している人生が楽しくってしかたなくなる。後悔している暇もなくなるはず。〝美〟から縁遠い生活をしているから、「お先真っ暗」って嘆いたり、死んだ子の年を数えるようなことをするの。

冷静になって考えてみれば、あなただって多くのものを得たんだから、ドンブリ勘定のまとっちらかってるのもおかしいでしょ。私だって、ひとりでも多くの人の文化生活のお手伝いができるよう、歌ったりお芝居している。私の文化生活における友人だった人たちの作品を挙げるまでもなく、あなたの周りにも、あなたの文化生活を充実させるものはたくさんありますよ。

Q24 目標とする職業に自分は向いていない、と落ち込んでいます

手に職をつけたいと思い、美容学校に通っていますが、元来の不器用さに悩んでいます。「どんなに腕のいい職人さんだって、最初から腕の確かさがあったわけではない」と思い直し、努力していますが、考え込むこともしばしばです。学費も夜のバイトでなんとか払えてる状態で、いっそ無理なら、早いうちに決断したほうがいいのかもしれません。1度、ほかの道で失敗し、今度は自分のために、真剣に人生を生き直してみようと志してはいますが、この年で実家にいる自分をイヤにもなっています。美輪さんの経験に基づいた助言をお与えくださいませ。よろしくお願いいたします。

（24歳・学生）

あなたの年で親元で暮らしてるのって、別に悪いことでもなんでもないのよ。むしろ当たり前のことでしょ。昔は男でも女でも、親と一緒に暮らしていたものだし。結婚しても同居でね、大家族も珍しくなかったし。子供が親元離れて暮らすようになったのは、最近のことだもの。学費だって夜のバイトでようやく払えてるくらいなんだから、これ以上ムダ遣いする必要ないですよ。家賃だって助かるんだから、その分、貯金もできるしね。ひとり暮らし並みの生活費を納めないことが心苦しいのなら、その分、親孝行してあげなさい。

私が思うに、あなた、実家を離れて独立したくてしょうがないんじゃないかしら。自由になりたいのね。「24歳にもなって」って書いてるくらいだから、相当焦ってるんでしょう。オバちゃんになる前に自分で部屋を借りて、仕事も恋もオシャレも満喫したいと思っているのに、それが果たせないもんだから、フラストレーションになっているように思えます。「青春が終わっちゃう」と思っているんだろうけど、私なんか65歳で、まだまだ青春真っただ中ですよ。あなたなんて赤ちゃんくらいのもの。そんなに焦る必要はありません。焦る気持ちがあるから「この道は私に向いてない」って見切りをつけるのも早くなってしまうの。「元来の不器用さに悩んでいる」というけど、不器用っていうのは、ある程度までは克服できますよ。もちろん必死で練習することは大切よ。でもね、美しいものが作れないのは、すなわち、

美しいものを知らないからなのよ。自分の中に美しいものに関する知識がないから、イマジネーションが貧困になってしまうの。だからあなたは、美容学校で学ぶ技術的なこと以外に、古今東西の風俗学を学んでいくことが大事。時代時代の流行を、当時の社会状況なんかと結びつけて学んでいかなくてはいけません。美学を多角的に学習していくことが必要です。図書館にはそういう本もたくさん置いてあるし、何よりタダ。どんどん活用するべきね。

髪型の流行にしたって、マリー・アントワネットの昔から、パリの文化がもっとも成熟した第二次世界大戦直前まで、モードがさまざまに花開いていたでしょう。特にアール・ヌーボー、アール・デコの時代の髪型はもう百花繚乱。女優のクララ・ボウや芸術家たちのミューズだったモンマルトルのキキなんかのヘアスタイルを見ればわかるけど、技術的にも非常に高いレベルでしたよ。日本だって、日本髪の時代から、明治、大正、昭和初期と、髪型にもさまざまな流行が生まれたし、素晴らしく美しいものもたくさんあった。そういうものを全部、自分の知識として取り入れ、そして「これを自分が作るには、どうすればいいのか」って考えに考え、マネキンなどを使って挑戦していくの。あなたの年なら少しくらい徹夜は大丈夫でしょ。一生の財産になることだもの、本当にやる気があれば、取りかかれるはずよ。

何かを作り出すときには、手がかりになる知識や技術があればあるほどいい。知識がなく

て、「どこをどうするべきか」がわからないと、それが劣等感になって指が動かなくなってしまう。ロールの巻き方ひとつで立ち止まってしまうことになるからね。実際の練習以外に、努力の分野を増やすこと。これがあなたの課題ですよ。

頭ひとつ抜きん出る人は、必ず大変な努力をしています。ピアノだって、ショパンやベートーベンを弾けるようになるには、気の遠くなるような練習量と、深い音楽的知識が不可欠でしょう。それと同じね。三島（由紀夫）さんだって、何万冊という本を精読し、そのすべてに自分でアンダーラインを引いて丸暗記しちゃうくらいに勉強していました。あれだけの傑作の数々の裏には、それだけの努力があったのです。不器用であることをコンプレックスにして、自分を縛りつけるのは簡単よ。逆にバネにできれば、人の何倍、何十倍の努力もこなせます。器用・不器用の分かれ目は、ものごとを知り、チャレンジの回数を自分から増やしていくことができるかどうか、にかかっているんですよ。

最後にひとつ。美容業に限らず、仕事というのはお客さんあってのものよね。だから「自分なら、こうされれば気持ちいいな」と、お客さんの立場、相手の立場に立って考え、実践する機会を増やすこと。「あの人は、わざわざ口にしなくても、私がしてほしいことをわかってくれる」と思われる人になるために、必ず役に立ちますから。

5

自己責任意識のある人こそ美しい

私が思うカッコいい人とは、自分で自分の面倒をきちんと見られる人です。それから、すべてにおいて自分の選択に責任を持てる人です。言葉にすると簡単だけれど、実際にできている人は大変に少ない。いま、「こんなはずじゃなかったのに」と悩みを抱えている人は、ぜひ、胸に手を当てて、わが身を振り返ってほしいと思います。本当にカッコいい人になりたければ、避けては通れない条件ですから。

「決めたのは自分」と割り切る

恋人とのいさかい、職場や夫婦間での問題などで相談を持ちかけてくる人が、いまも昔も非常に多いんです。必ず最後は、「私の人生、こんなはずじゃなかったのに」とまとめられているの。身の上相談を始めた35年以上前から、呆れるくらいに変わっていない。

でもね、冷静に考えてごらんなさい。お付き合いする相手も、就職先も、結婚相手も、子供を生む、生まないも、最終的には自分で決断したはずでしょう。誰かがお膳立てしたとしても、それは言い訳にはなりませんよ。イヤなら最初から断ればいいのだから。

自分で決めたことだということを忘れたまま、気づかないままの人は、「あの人が、この人がこういったから」と、責任転嫁のとりこになるか、「どうして私ばっかり、こんな思い

をしなくちゃいけないの」と、自分を悲劇のヒロインに仕立てあげることになる。こういう態度を美しくないというのです。

誰かのせいにするのは、一見ラクなように見えます。自分の至らなさを恥ずかしく思わなくてすみますから。でも、これは自分の首を絞めるだけ。いつまでたっても、恨み・嘆きにとらわれ、成長しないでしょう。「これも結局、最後は自分が決めたこと」と思い直せば、そこで気持ちにケリもつく。「自分で決めたことだから仕方がない。よし、頑張ってみよう」とも思えるようになる。進んだ道が間違いだったことに気づいても、「いい勉強をしたから、次は繰り返さないわ」と思えるのです。

過ちを犯すのは人の常。そこで何を学ぶかが大事なのです。恋も仕事も対人関係も教育も健康問題も含めてですよ。それが〝転んでもタダでは起きない〟人間になれるかどうかの分かれ道なのです。

〝私らしさ〟のワナ

最近、よく耳にしますね。〝私らしい何々〟という表現。これだって、「いまのまま、ありのままで、なんの努力もしていなくても、バカの能なしのままでも、恋人にも友達にも家族

にも仕事場にも受け入れさせたい。受け入れてもらいたい」と思っていることの裏返しでしょう。そんな世界は、自分の部屋のベッドの上くらいのものですよ。社会に出ても通用すると思ったら大間違い。誰だって、自分を高く売り込むために必死になって努力して、競争しているのです。本当にやりたいことがある人は、寝る時間も削って、プライベートも犠牲にして、ひとつのことに打ち込んでいるものです。

自分のスタイルを持つことの大変さは、本気で取り組んでいる人にしかわかりません。周囲にあふれる情報に流されることなく、身の回りに置く品々から人生における分かれ道まで自分の意志で何もかも選択できるようになるまでには、大変な時間と苦労がともないます。その覚悟が決まってから、〝私らしさ〟という言葉を口にすること。そうすれば、おのずと意味合いも変わってきます。努力するのが面倒くさくて、ただズボラでナマケモノのまんまで、図々しく「ありのままのあたしを受け入れろ」ったって、そんな雑巾みたいな女、誰も欲しくなんかありません。雑巾はすぐに捨てられます。

すべては自分の選択なのです

最近、特に多くなっているのが「自分に自信が持てない」という悩み。でも、そういう人

に限って、「この失敗を自分のミスだと認めたら、また立ち直れなくなる」と考えて、立ち往生しちゃっている。逆ですよ。認めることによって、気持ちもスッキリするし、少しずつ強さも、自信も身につくのです。後ろめたい、他力本願でなければ生きられない自分自身から抜け出せるきっかけもつかめるのです。潔く、清々(すがすが)しい気持ちで人生を送れるのです。

何があっても人のせいにせず、言い訳がましい愚痴もいわず、自分の力で乗り越えようとしている人って、はたから見てもカッコいいでしょう。人から信頼もされるし。

カッコよくなりたいのなら、表面をいくら取り繕ってもダメです。心映えから直していくことが大切なのです。

デコレーションで過剰包装にしたニセモノの宝石や石ころよりも、新聞紙にくるんだ本物の宝石のほうが、もらったほうは「なんて粋でいなせでおしゃれでカッコいい」と思うかしれませんでしょう。

Q25 したい仕事が見つからず、周りの目も気になり自信を失っています……

専門学校を卒業後、1度は就職しましたが、ストレスで体調を崩して退職して以来、自分に自信を失い、アルバイトをしたり辞めたりの毎日です。自分らしい仕事も見つかりません。親は長い目で見てくれますが、友人はみんな普通に働いているので、会うのも気後れします。友人からも「あなたは個性的」といわれています。自分では平凡でまじめな人間だと思っているのですが。面接でフリーター生活を咎められるような態度を示されることも多く、いまではアメリカにひとり旅した感動が忘れられず、アメリカに帰りたいと思う始末。強くなりたいとは思うのですが……。（23歳・フリーター）

わがまま勝手な、いまどきの若い子の典型ね。

「自分のやりたい仕事を見つけたい」なんていってるけれど、やりたいことだけやってお金をもらおうなんて太い了見ね。やりたいことをやるのなら、お金を払うべきです。

料理が好きだから、といってもね、給料もらうには、真夏でも蒸し風呂のような厨房で、重いフライパンひっくり返したり鍋をゆすったり、立ちっぱなしで料理を作らなきゃいけないでしょ。それも毎日毎日。お裁縫が好き、といっても、好きなものだけ趣味の範囲で作ってる分には楽しいですよ。でも、それが仕事になっちゃったら、作りたくないドレスは頼まれるわ、期限までに膨大な量の洋服を納品しなきゃならないわで、ヘトヘトになる。それが一生、続くんですよ。誰だって、楽しい気持ちなんか、どこかへ飛んでいくものなのです。

仕事に関しては、やりたいことだけやれて楽しくて楽しくて、なんてことはありえません。それがいまの若い子にはわかっていない。始めた当時の楽しさが失われるのは当たり前。なのに「楽しくなくなっちゃった」って、転職ばっかり繰り返し、「どこかに、ずーっとラクなまま、楽しいままで続く仕事があるはず」なんて夢を見てる。アホかっての。開いた口がふさがりゃしない。そんな仕事がこの世にあるはずがありません。

「職場でストレスがたまる」なんてのも当然です。人間関係の摩擦なんて、肉親や恋人の間

にだって起こるのよ。ましてや会社という組織は、まったくの他人同士が利害を追求する目的で集まっているんだから。摩擦が起こるに決まってるでしょう。会社は利益を生むために存在してるのであって、あなたをチヤホヤするために存在しているのではありません。

そりゃ、私は歌も芝居も好きですよ。でも〝ユニセックスの元祖〟で世に出たときは、変態だ国賊だって袋叩きの目にもあってるし、売れなくて貧乏して、長いこと砂を噛むような日々を味わったこともある。いまだって、コンサートにしろお芝居にしろ、10センチくらいあるヒールをはき、何キロという衣装を着て、3時間も動いて歌って。1日や2日のことならいいけれど、昼夜2回公演の日も含めて、1か月や2か月ぶっ続けってのはザラ。命を削ってやってますよ。好きだなんて気持ちだけじゃ、とても続かない。高いお金を払ってくださったお客さんに心から満足していただくため、義務感、使命感だけでやってる。つらいなんてもんじゃない。苦行ですよ。それでも、自分が選んだ道だもの、逃げるわけにはいかないのです。

「強くなりたい」というのなら、つらいことから逃げてばかりいる姿勢から直すよりほかないでしょう。どんな仕事だってつらいことはたくさんあるんだから、逃げてばかりじゃ一生フリーターのままよ。それに、「自信がなくなった」って書いてあるけど、いったい何を根

拠に自信を持ってたの？ 「自分らしく」っていうのも同じ。〝あなたらしさ〟ってどういうこと？ 自分が何者で、どんな能力があって、知性・教養面にしろ性格面にしろ、何がどのように至らないのか、いまの自分の状態ではどれほどの給料に値するのか、すべて厳しく客観視できているというの？ できていないから、「自分では平凡な人だと思うけど、周りは個性的という」ようなことが起こるわけでしょう。つまり、自分自身を何も知らない、曖昧模糊とした状態こそが、いまのあなたらしさということです。自分を客観視するのは、つらいことよ。自分の至らなさに絶望して、どん底に落ちることだってあるでしょう。でも、強くなりたいのなら、その絶望に正面切って向き合わなければいけない。私の言葉をただ聞くだけで状況が変わるなんて、ゆめゆめ思わないこと。結局、自分が動き出すよりほかないのだから。

「アメリカに帰りたい」とかいってるけど、あなた、旅行だったら近場の温泉宿だって楽しいわよ。お金払ってるんだからみんなチヤホヤしてくれるしね。住んでみろっていうの。仕事してみろっていうの。子供の延長のようなものの考え方をしているうちは、自信なんて生まれるはずもありません。

Q26 男性と付き合っても、相手の欠点ばかりが目につき、長続きしません

男性とお付き合いしたことはあるのですが、相手を信頼して、精神的に深い関係になれません。学生時代に男子にからかわれたことがあるせいか、男性に対して心を開けないのです。それに、お付き合いが深くなりそうになると、相手の欠点ばかりが目につくようになり、私から心が離れていくことも多いのです。このままでは結婚はおろか、恋愛もできないのでは、と悩んでいます。豊富な人生経験をお持ちの美輪さん、アドバイスをお願いいたします。

（26歳・会社員）

別にいいんじゃない。男のあらを探し続けて、探し疲れて見切りをつけて、出家するなり修道院に入るなりして余生を過ごすのも、それはそれでさっぱりしてて気持ちいい選択でしょ。そういう女が多くなれば、その分、男が私のところにも回ってくるし。

ただ、「男の欠点ばかりが目につく」っていうけれど、そういうセリフをいう資格があるのは、まったく欠点のない人だけですよ。誰もが振り向くような美人でさ、頭もよくて、性格だって非の打ちどころがなくて、その人をひと目でも見ようと、いろんな人が遠路はるばるやってくる、そういうかぐや姫のような人だけが、「他人の欠点ばかりが目につく」なんていってても許されるのだけれど。あなたはそれに当てはまる女なの？　まあ無理ね。というより、そんな人は存在しないから。

あなたに限らず、特に女に多いんだけど、自分の持ってないものを相手で補おうとする人って多いわね。自分が怠け者だから金持ちを探し、自分に決断力がないから引っ張っていってくれる人を探し……、という具合に、相手に要求ばかりする。それで、自分の要求どおりにならないと、相手が悪いみたいな調子で責めたてている。

でもね、女でも男でも、自分に自信のある人は、相手に多くを求めたりしませんよ。フランスの女優、ジャンヌ・モローを見てごらん。彼女、記者に「男に求めるものは？」と聞か

れて、「男は美しければそれで結構」って答えましたよ。それで記者が「経済力や知性・教養、包容力といったものは必要ではないのですか?」と聞いたら、「そんなものは全部、私が持ってます。必要ありません」って返して。あなたはその逆なんですね。相手に要求するものが多いっていうのは、自分に足りないものが多いってことなのよ。

結局あなたはコンプレックスの固まりなんですよ。自分では気がついていないだろうけど。自分の中にある欠点を、相手の欠点だと思っているのです。それで相手が嫌いになっちゃうの。「自分には欠点ばかりでイヤになっちゃう」ってことから目をそむけたいから、相手の欠点ばかりを探し出そうとしているわけ。でもそれは、ガマガエルが鏡に映った自分の姿にタラ~リタラ~リと脂汗を流しているようなもの。あなたは合わせ鏡をとおして自分の欠点を見ているだけ。男にからかわれたのが傷になってるっていうのも、コンプレックスをズバリと指摘されて、認めたくないから相手を憎んだ、ということだと思います。

相手の欠点だと思っていたものが、実は自分の欠点だった、っていうのがあなたの悩みの正体なんだから、これからは〝人の振り見てわが振り直せ〟で、頭を冷静にして、自分の欠点やコンプレックスをなくすことを考えなければならない。いろんなコンプレックスや劣等感が、綾の糸みたいにあなたの深層心理に組み込まれているから、ひとつひとつほぐしてい

って、解消するよう努力する以外ありません。時間はものすごくかかるけどね。そうして自分に自信がついてくれば、相手への要求も少なくなっていくでしょう。

コンプレックスに縛られてる人って、不平不満ばかり口にして、表情もさもしくなってくるから、悪循環でますます幸せは逃げていきます。これは人相学的にいっても間違いない。あなたも相手に求めてた分、自分が足りなかったと気づいて、充実した人になれるよう、欠点から目をそむけず、努力を始めることね。自分が充実しなければ素敵な恋愛はできないし、結婚するにしても自分のことを棚に上げて求めてばかりじゃ、相手の男がいい迷惑。男の話は10年、いいえ、20年早いわ。

Q27 吃音が気になり、何事にも消極的になってしまう自分がイヤになります

小さいころからの吃音に悩み、人と接することが苦手です。いまでも電話や、店員と会話しなければならない買い物は避けてしまいます。外国語を自由に操れたり、いろいろなことにチャレンジしている人を見ると、うらやましい反面、吃音を気にして前に進めません。吃音は一生、直らない、と聞きました。このまま毎日が単調に過ぎていくのかと思うと、とても不安です。本当は、積極的に生きていきたいのです……。どうか、アドバイスをお願いいたします。

（26歳・会社員）

もうお亡くなりになった方なんだけど、私の友人にも吃音の人がいましたよ。彼のお母さんが「日本語以外ならどうだろう」って、フランス語と英語の先生をつけたのね。フランス語のほうは発音が難しいから、ということで、英語に的を絞って、ていねいに勉強したんですって。アルファベットのひとつひとつの発音から始まって、基本から丹念に学んでいったの。いまの英会話学校みたいに「会話ができれば発音はどうでもよろしい」っていうスタイルとは正反対の習い方ですね。そうしたら、吃音なしの、美しくて流暢な英語が話せるようになって、イギリスやオーストラリアで生活して、日本には時々帰ってくる、っていう感じになったんだけど、帰ってくるたびに日本語の吃音も少なくなっていったんですよ。

吃音は、自信のなさが原因の場合がけっこう多いのね。あなたの場合も、たぶんそれではないかしら。加えて、手紙を見て感じるんだけど、物心つくかつかないかのころから、家庭環境か何かで、つらいことを経験してきているような気がします。トラウマってことね。記憶の底に眠っているトラウマが、吃音になって現れているように思います。だから、あなたがまず目を向けるべきなのは、吃音そのものというより、吃音の原因になっている、あなたの心の傷ではないか、と思います。つらい作業ではあるけれど、自分の心の奥の問題、痛み、劣等感などを、ひとつひとつ克服していくことが大切よ。それで、私の友人のように外

国語を習うのもいいでしょう。そうして、自分に自信もつけていくのよ。

あなたの場合は吃音だけど、コンプレックスは誰でも持っているもの。そのコンプレックスをバネにして、みんな努力をしています。同時に神様は、人間ひとりひとりに、それぞれ違う才能を授けてくださっている。あなたの吃音は、逆に、神様の〝啓示〟なのかもしれない。しゃべる才能よりも、聞く才能、書く才能があるかもしれない。私の友人のように、日本語以外の言葉、つまり外国語に大変な才能があるのかもしれない。

〝話し上手より聞き上手のほうが信用される〟って、よくいわれるでしょ。世間の連中は、ほとんどがしゃべりたがりで、ちゃんと聞いてくれる人をほんとに求めている。『王様の耳はロバの耳』の話を読めば、人がどれほどしゃべりたがりなのかがわかるでしょ？　いってならないことだって話したくなっちゃうほど。でも、それに付き合ってくれる人はいない。ほんとに世の中には聞き上手の人が少ないんですよ。あなたにその才能があれば、周りから求められてやまない人になれる。どうにも疲れてるときはニコニコ聞いてるふりをして「晩ご飯、何しよう」って、別のこと考えてればいいしね。

〝押してもダメなら引いてみな〟って、昔からよくいうでしょ。私もそそっかしいから、引かなきゃ開かないドアを押すだけ押して、「なにごと!?　このドア、開かないじゃないの」

なんて、やったりするんだけど、ちょっと考え方を変えるだけで、何か新しい可能性が見えてくることだってあるんですよ。つまりは、〝引く人生〟もある、ってこと。引いた位置から人生を眺めることで、自分にはこれもできる、あれもできる、と眠っていた才能に気づくこともあるわけ。〝十人十色〟って言葉があるように、人の生き方なんてのは全部バラバラよ。それが自然なことです。周りの人と自分を比べて、うらやましさやら引け目やらを感じて、落ち込むことはありません。そんなのは意味がないこと。あなたは、あなただけに与えられた才能をいかして、あなただけの人生を生きていけるんだから。

Q28 独身時代の華やかな生活が忘れられず、夫にも不満がつのります

独身時代はスチュワーデスをしていました。素敵な男の人もたくさんいましたが、遊び人が多かったので、まじめで素朴な、私の周りには珍しかったタイプの主人と結婚しました。6年間、優しくまじめな夫なのですが、経営している小さな清掃会社を大きくできないのが不満です。要領が悪く、営業も苦手のようで、私がアドバイスするとうまくいくことも多く、「奥さんが営業すればいいのに」といわれるのですが、そこまでやる気が起きません。華やかな生活と仕事が好きな私は、地味な仕事に生きがいを感じられないのです。最近は性格まで地味になってきてイヤになります。

（35歳・事務員）

だいたいあなたはなんでご主人と結婚しようと思ったわけ？　遊び人の男たちに嫌気がさしたからでしょ。まぁ、スチュワーデスとかやってると、一緒に働いているスチュワードやパイロット、それから「デートしようよ」なんて誘いをかけてくる男たち、確かに見てくれはよくて遊び慣れてるのもたくさんいたでしょうよ。でも、そんな男たちの周りに、女が寄ってこないはずがないでしょう。いい男は経験も豊富で、たくさんの女たちを知っている。「カッコいい男はたくさんいるけど、なんか信用できないわ」ってあなたが思っていたように、男たちだって「見てくれのいい女はたくさんいるけど、金はかかりそうだし、家事なんて何もできないだろうな」なんて、あなたを値踏みしていたかもしれない。あなたが独身時代に親しくしていた男たちは、全員が全員、独身のままなの？　そんなことないでしょう。いくら遊び人だって、決めるところは決めますよ。結局あなたは選ばれなかっただけ。「出るところに出れば、まだまだ私はイケるはず」なんて思ってるんなら、とんだ見当違いというもの。あなたはふるいから落とされたの。つまりゴミ。そのゴミを拾って、愛情をかけて再生利用してくれた人に感謝しこそすれ、グチグチいうなんて、バチ当たり以外の何物でもありません。

ご主人は、あなたみたいな女にはもったいない。優しくて、まじめで、家庭を大事にして、安心させてくれて。そりゃ、やり手ではないかもしれないけど、やり手の男は、あなた

のような派手好きな女など妻にはしません。内助の功を発揮して、あまり外を出歩かず、3歩下がって歩いてくるような女を選ぶのよ。「バリバリやるのは自分だけでいい」って考えだから。女房には大金なんて持たせないしね。そのうえ、自分は外に女を作って、あれこれと買い与えたりする。女房には指輪ひとつ買っちゃくれませんよ。やり手の男はずる賢いし、油断ならないもの。というより、ずる賢いからこそ、やり手になれる。あなた、それがわかってたから、やり手の男から逃げて、ご主人のところへ行ったんでしょう。

何度もいうように、この世は〝正負の法則〟でできています。何かを得れば何かを失うのです。やり手の男と結婚すれば、その代償にいいように閉じ込められる。派手な生活なんて、とんでもない話。ご主人のような男だからこそ、穏やかな日常が送れるんですよ。会社のことにしてもそう。会社が大きくなれば、そりゃあ見栄っぱりなあなたにすれば鼻高々でしょう。でも、大きくなればトラブルの数も規模も大きくなる。会社がひとり歩きを始めるわけ。コントロールがきかなくなるんですよ。心休まるヒマなんて、これっぽっちもなくなってしまう。だいたい仕事の手伝いも真剣にやらない人間のいえるセリフじゃないけどね。「派手な生活と仕事が好き」っていうのなら、どうして独身のままでいなかったのよ。世間体の悪さと、寂しい日常がイヤだったからでしょう。いってることが矛盾だらけですよ。

昔の栄光が忘れられない人に限って、いまの状態へと続く道を歩いてきたのも自分自身だってことを忘れてる。誰がご主人を選んだの？　あなたでしょう。「私はこんなところに納まってる女じゃないわ」なんて考えてるのかもしれないけど、望んで納まったのはあなたなのよ。ご主人の仕事にしたって、自分は何もやってないくせにグチグチ文句ばっかり。文句いうんならやってみろっていうの。周りからも「奥さんが営業に出てみれば？」ってすすめられてるんでしょ。本気を出してぶつかってみなさいよ。やりもしないうちから「私なら、もっとうまくやれる」なんて寝言がよくいえるわね。やってごらんよ。成功したら御の字でしょう。まあ、そんなに甘くはないけどね。

35にもなったババアが、いつまでもシンデレラのつもりでいるなんて、まったくグロテスク。シンデレラだって、あれだけ満たされて幸せになる前に、灰をかぶりながら暖炉そうじしたり床を磨いたり台所に立ったり、散々、苦労してるのを忘れたの？　灰をかぶるなんて、あなたの怠け者で派手好きな根性が許さないとでもいうつもり？　さしずめいまのあなたは、意地悪なまま母と、根性曲がりなふたりの姉を全部まとめた存在ね。あの3人の醜いところのすべてが、あなた1人の中に入っちゃっている。19、20の小娘じゃあるまいし、自分が選んだ人生と夫であることを忘れて、現実逃避してるんじゃありません。

Q29 結婚したいのに、いるのはブ男ばかりで望みがありません……

スーパーでバイト中ですが、周りは女性ばかりで出会いがありません。紹介されるお見合いの相手も、高収入とはいえブ男ばかり。私が30を過ぎているとはいえ、ブスでもないのにひどすぎます。結婚紹介所にも入会しましたが「相手あってのことなので」と、力を入れてくれないのが不満です。「結婚だけがすべてじゃない」という人もいますが、バイトの私は自活できないし、この不況に正社員として雇ってくれる会社もないし……。「資格を取ればいい。看護婦がベスト」という人もいますが、血が大嫌いな私には向きません。かといって、ブ男と結婚するのも苦痛です。

（32歳・パート）

起こるべくして起こった、ってことね。あなたが結婚できない理由は簡単。あなたの性格でほかの人と一緒になったら、相手にえらい災難が降りかかるから、神様が先回りして防いでいるだけの話です。諸悪の根源はほかでもない、あなたの根性。そんなことさえ気づいていないなんて。あなたは一生、ひとりでいるべきです。誰と結婚しても、必ず相手を不幸にします。子供ができれば子供にも不幸が及ぶ。結婚なんかしてはいけません。

「自分には何も悪いところがない。私を選ばない周りが悪い」といわんばかりの態度だけど、原因は全部、自分にあるんです。売れないのは腐ってるから。八百屋さんにでも行ってごらんなさい。誰が腐ったトマトを買うっていうの。腐った野菜を買わないお客を恨むようなお店はつぶれますよ。まともなお店なら、腐ったものなんかお客の目に触れる前に選り分けて捨てちゃうでしょ。新鮮か、腐ってるかは、年齢の問題じゃない。人から好かれる内面を持っているかどうか、ということ。あなたのどこに、人に好かれる内面があるのか、私のほうが聞きたいくらい。相手の男の顔をどうこういっているけど、あなたの性格は、はるか上をいってますよ。あなたは掛け値なしの性格ブスです。

「結婚相談所が力を入れてくれない」とかいうけどね、結婚相談所は縁結びを仕事にしてるのよ。仕事には何より信用が大切。あなたを紹介したら、いままで築いてきた信用をいっぺ

んで失うことになる。「自活なんてできないから、養ってくれるくらいの経済力がなきゃいや。でも、ブ男は嫌いだから、顔のいいのを紹介して」なんてぬけぬけといってのける性格ブスの30女を、どこの誰に紹介できるのよ。結婚相談所も「とても男におすすめできない女だな」って見抜いていたんですよ。仕事柄、何千人という男女を見てきているんだもの。あなたほど明らかな性格ブスを見抜けないわけがない。もし、あなたが美人で性格がよければ、あなたは目玉商品。向こうのほうからやっきになってくれますよ。大勢の男たちに自信をもっておすすめできるでしょ。

だいたいあなたに問題がなければ、とっくに自分でなんとかできたはず。あなたが妻として理想的な女だったら、男も周りもほっときませんよ。それに、あなたの好きな見てくれのいい男は、陰に10人の女がいるもの。その10人が女っぷりを磨きながら、虎視眈々とひとつの座を狙っている。あなたのつけいるスキなど、どこにもありません。「生きていくために、必死になって仕事をする気はないの。だからハンサムな王子様、私を養って」なんていってるような女を、いい女に囲まれている男が選ぶはずがないでしょ。

何より厄介なのは、あなたが「自分に非がある」と気づいていないこと。自覚症状のない病気と同じで、いちばんタチが悪い。痛みも何もなく、知らないうちに全身にガンが広がっ

ちゃっているのよ。まずは自分の性格の悪さを自覚して、それを直すために努力していきなさい。いいことが起こらないことを周りのせいにして、悪口をいうのをやめて、誰にでも好[illegible]こと。それができるようになれば、ご縁は向こうからやってきます。

[illegible]く〟という言葉の意味を、もう1度よく噛みしめてごらんなさい。

こういう童話があります。素晴らしい美人と、あまり美人ではない2人の王女がいた。でも、美人の王女がしゃべると、一緒に口から出るのはトカゲやヘビやガマガエルばかり。美人でない王女は、しゃべるときに口からポロポロ宝石を出す。王子様が選んだのは、口から宝石を出す王女だったのです。あなたが美人かどうかはわからないけれど、口からトカゲやヘビを出している点は同じね。悪口やグチは、口からまがまがしい気を出すの。「あの人と口をきいたってロクなことはない」とか「別の場所でこんなふうに私の悪口をいうんだろうな」って思われて、誰にも信用されないし、誰も寄りつかなくなる。顔つきだって卑しくなっていくから、ますます福運は逃げていく。ところが、他人の悪口は一切いわない、グチもこぼさない、いつでもきれいな言葉で美しいことだけ話す人って、誰から見ても気持ちがいいでしょう。そんな姿を見た男が結婚の申し込みをしてくるように、世の中はできているのです。

6 節度ある対人関係とは

対人関係に悩む人が多いのは、いまも昔も変わりません。でも、それだって当然のことなんですよ。人が集まるところに争いあり。これも正負の法則なのです。

違う人同士、踏み込まないのがお互いのため

「私のことを何もかもわかってくれる人が欲しい」という人がいます。いい年をして、少女マンガの読みすぎです。〝十人十色〟なんて言葉を持ち出すまでもなく、人はそれぞれ、まったく違う人格を持っています。他人はあなたのクローンではない。また、神通力や超能力を持っているわけでもありません。違う身体、違う心を持っているのですよ。親子・兄弟姉妹であっても、たかだか細胞の何パーセントが共通しているだけでしょう。だから、お互いを完全に理解するのは物理的に不可能です。お互い、かえって違ってるほうが、わかりあえないほうが自然なのです。ですから、友人同士、恋人、家族、壮絶な争いは起きて当たり前。人間はそれぞれ、すべてが違うのだから、ぶつかるのも当たり前なのです。

人は何もかもそれぞれ違うことを考えているもの。誰だって、自分のことで手いっぱい。触れられたくないことも、人それぞれにあることでしょう。だからこそ、お互い踏み込まない節度が大事なのです。「これ以上、相手の秘密を探るようなマネをするのは失礼だ」と、

お互いがせいぜい腹八分の付き合いにして気を遣い合うことこそ、お付き合いの基本です。自分のことを全部わかってほしい、相手のことをなんでも腹いっぱい知りたいというのは、礼儀知らずのすることです。上質な大人同士の人間関係ほど、礼儀知らずの人たちからは水くさいように見えるもの。〝親しき仲にも礼儀あり〟〝君子の交わり淡きこと水のごとし〟が守られているからこそ、いたわりも敬意も生まれてくるものなのですよ。親子・兄弟・他人といわず、自分以外の人間との上手な付き合い方の基本がそれなのです。

私とマネジャーは、もう35年間の付き合いになるけれど、お互いプライベートで何をしているか、いまだに話したこともありません。お互い、分別と理性のある大人同士だと認め合っているから、根掘り葉掘り聞く必要もないのです。だからこそ長く続いているのです。

寂しいかかわりに争いも少ない

多くの人が集まれば、にぎやかで楽しい分、トラブルも増える。逆もまた真なりです。つまり、少人数でいる場合、にぎやかさはないし、孤独で寂しく感じることもある分、心配事や争いは少なく、何より自由で、平穏無事に日々は過ぎる。これも正負の法則。余計なゴタゴタに巻き込まれたくない人は、後者を選べばよいのです。これも賢いやり方です。

いちばんの理解者は自分自身

「私をわかってくれる人が欲しい」と思う人は、相手に頼りきっているわけです。他力本願なんですよ。自分で自分の面倒が見きれなくなって、人様に「お願い。私をわかって」と寄りかかる。寄りかかられたほうは、いい迷惑でしょう。余計なお荷物をしょい込まされたことになるのだから。パラサイトです。寄生虫的発想です。

まず自分で自分をはっきりつかめるようになることが大切なんですよ。よくいわれていることだけれど、人間は、ひとりで生まれ、ひとりで死んでいくもの。誰でも宿命的に孤独を抱えているものなのです。「自分の理解者がいない」と思えば、孤独に押しつぶされてしまうかもしれない。でも、「自分のことは自分がわかっているから」と思えば、ひとりの時間を楽しめるようにもなる。孤独に負けない、孤独を楽しめる強さができあがるのです。

「誰か私を理解して」「誰もわかってくれない」と嘆く人がいるけれど、第一、誰かどころか、まず自分自身が自分のことをわかっていない人が実に多いのです。自分が自分をわかってもいないくせに、他人にわかってというほうが無茶苦茶なのです。

よく、夫に、妻に、また恋人に、あるいは友人に、親族に裏切られたと、世間の人は恨

み、怒り、嘆き悲しみますが、それは腹いっぱいで付き合おうとするからです。「あなたを信じてる。信頼している」と、べったり抱きつくから悲劇が起こるのです。相手は信じられても困るのです。神様じゃあるまいし、１００パーセント信じられる人格の人間なんて、この世にはいないんですから。ですから、１００パーセント信じたい、また、信じてる、というのは、勝手な自分の思い込み、マスターベーションです。「自分が安心していたい」と自分が思っているだけ、自分が身勝手なだけなのです。

そういう意味で、もし人を恨んだり、怒ったり、悲しんだり嘆いたりする人生を送りたくなければ、自分以外の人間と付き合うときは、１００パーセント信じたり信頼したりしないで、せいぜい50パーセント、60パーセントにしておくことをおすすめします。そうすれば、たとえその人に裏切られても、背かれても、別れても、死なれても、身も世もなく泣いて嘆いて落ち込むことはしなくてすむのです。

「あっ、やっぱりあなたも普通の人間だったのね」と、ケロリとしていられるのです。

Q30 親友とのぶつかり合いで対人関係のバランスを失っています

親友との付き合いの中で、過去の私は聞き役中心。でも先日、ある議論から、それまでの相手の矛盾点を全部、指摘してしまいました。そのときは親友も「反省できた」といい、私も自分自身を戒めることもできたと思います。それ以来、ほかの人に対しても同じように接してきたのですが、アラばかりが目につくようになり相手が自分のことを棚に上げて偉そうなことをいってきたりすると、そのアラをぶつけかえしてしまい、自分にガッカリし、疲れてしまいます。親友を含め、何人もの友人とそんな関係になり、対人関係のバランスの取り方がわからなくなってしまいました。（28歳・会社員）

親友、親友というけれど、何をもって親友というのですか？　なんでもいいたいことをいい合い、注意という名目で文句をいい合い……。でも、いったいそれがなんだっていうの？　あなたを含め、みんなに知ってほしいのだけど、この世に生きているうちに、何もかも許せて、お互いに高め合えるような、運命的ともいえるような〝親友〟に出会える人は、まずいません。巡りあえずに人生を終える人がほとんどです。この事実を知らないから、親友という言葉に酔って、道を踏みはずしてしまう人が後を絶たないのです。

その最たる例が大きな社会問題になった商工ファンドや日栄などの事件。「あいつは俺の親友だから」「親友の君にしか頼れないんだ」なんていって、知り合いの保証人になっちゃう人、多いでしょ。それで知り合いはとっとと行方をくらましちゃって、残された保証人が借金地獄に苦しんでいる。一家がバラバラになった家庭もたくさんありますよ。日栄や商工ファンドの社長の大邸宅や大きなビルは、友情がいかに成り立ちにくく、はかないものか、ということの象徴です。

いままで聞き役に回っていたあなたが、言葉を返すようになってから、関係がおかしくなったのだから、向こうはあなたのことを、なんでも好き勝手に気持ちを吐き出せるほら穴だと思っていたんですよ。ほら穴だと思っていたものがしゃべりだしたら、そりゃ驚きます

よ。『王様の耳はロバの耳』みたいにね。童話っていうのは、裏に必ず大きな意味やメタファーを含んでいるもの。だから世界中の人に長い間、読み継がれていくわけ。あなたのような悩みを、いかに多くの人が抱えているか、わかるでしょ。対人関係とは、ストレスを解消するものではなく、逆にストレスを生み出すものにほかなりません。たくさんの人に囲まれてる人は、確かににぎやかで楽しいかもしれないけれど、その分、トラブルに巻き込まれるリスクも背負っていることを、忘れてはダメですよ。

渋谷とかで、地面に腰を下ろして、だらしなくしゃべり続けているような女の子たちが、お互いを「マブダチだよね」なんていえるのは、彼女たちの話題が、せいぜい自分の男のことや洋服のこと、テレビのことくらいしかないから。上品で知的な人たちの交友関係だって、話すことは文学や音楽やお芝居や映画など、文化のことが中心。お互いの欠点なんてあげつらってごらんなさい。あっという間もなく敵同士ですよ。お互いの欠点のことは〝見ざる、いわざる、聞かざる〟だと、彼女たちなりに知っているからこそ、友人関係、ひいては人間関係も、さしたるトラブルもなく続くのです。あなたは、そこをもう少し勉強したほうがいいでしょう。

本当の親友と出会える人と巡りあえない人は多い、と私はさっき話したけれど、それは悲

しむべきことでもなんでもありません。というのは、何も親友を見つけることが、人生における最大のテーマではないからです。人がこの世に生きているのは、この世で自分自身を高めるため、鍛えるための修行をしなくてはならないから。〝誰か〟の中に自分の生存理由を見いだすのではなく、〝自分自身〟の中に見いだすことが大切なんですよ。他人だって自分を高めるために身を削っていると考えれば、「あなたが私の親友よ。もっとお互いをさらけあいましょう」と、過剰に要求するべきではないと気づくはず。だからこそ、人とのお付き合いは、腹六分目から七分目くらいに抑えておくのがちょうどいいんです。

自分を完成させることは、私だって、まだまだ勉強、修行の最中だと思っているくらい[illegible]のですよ。あなたは何をしているのかしら？　お馬鹿な友達とお[illegible]など、本来ないはずだけど。古今東西の文学や音楽、美術などから、自分の美意識や知性を高め、それらがもたらす感動を自分の生活や人生の栄養にしていくことは、ほとんど義務にも等しいものだと、私は思います。やることは山ほどありますよ。

Q31 信頼していた人に裏切られ、人間不信になってしまいそうです……

夫の転勤で身寄りも知人もない土地に来て、やっとできた信頼できる人に「私は口が堅い。ラクになるならなんでも相談して」といわれましたが、彼女にこぼした愚痴が、悪口となって、すべてその人に話されていました。「自分から裏切らなければ、人は裏切らない」と思っていたのに……。自分の軽率さを恥じながらも、人間不信に悩んでいます。この先、どのように彼女と近所付き合いを続けていくべきでしょうか。私が裏切りに気づいたことを、彼女は知りません。

（40歳・主婦）

40になって、やっといい勉強をしたのね。30代、40代、50代、60代、人生は勉強の連続よ。いつ学んだからといって、遅すぎるということはない。それからの人生に役立てればいいんだから。

「裏切られた。自分から裏切らなければ、人は裏切らないと思っていたのに」といってるけれど、赤の他人に誰かの愚痴をこぼした時点で、愚痴のネタになった人を、あなたは裏切ってるんですよ。相談を見ると、「自分がこぼしたのは愚痴で、彼女がいったのは悪口。種類が違う」みたいな書き方だけど、何が違うというの？　第三者に誰かの愚痴をこぼすのは、陰口いってるのと同じこと。第三者が悪口にして広めた、と思い込んでいるようだけど、第三者にこぼした時点で、自分に非があるの。それを棚に上げてるのよ。いいたいことがあるのなら〝ご意見申し上げる〟という形で、本人に直接いえばいいんだもの。「私は口が堅い」なんて言葉を、やすやすと信用するほうがどうかしてますよ。〝人の口には戸は立てられぬ〟って昔からいうでしょ。〝悪事千里を走る〟っていう諺もあるように、悪いことほど広く、早く伝わってしまうものなのよ。

自分を裏切った相手を口を極めて罵る前に、延々と陰口を聞かされるほうの身にもなってごらんなさい。あなたの愚痴を聞きながら「この人は、この場に居合わせない人のことを、

こんなふうに語れる人なのか。そうそう気は許せないな」って思っていたかもしれない。人間不信とかいうけど、あなただって信用できない人間のひとりですよ。そのことを勉強できただけでも、よしとするべきでしょう。

『王様の耳はロバの耳』の話じゃないけれど、自分の話を聞いてくれるなら、穴でもなんでもいいから欲しい、って人ばかり。あなたもそう。汚い言葉ばかりを受け止めてくれるタン壺が見つかったと思って喜んでたら、タン壺がひっくり返って、自分が吐いたタンにまみれちゃった、みたいなものよね。別に驚く必要もない。はじめから吐かなきゃいいだけの話だもの。

あなたも発想の転換を図って、これをいい機会だと思って勉強しなさい。あなた自身がそうだったように、周りの人は、たいてい陰口や悪口をいって生きているもの。他人の悪口を一切いわずに暮らしている、聖人君子を絵に描いたような人、めったなことじゃ見つかりませんよ。そう思って暮らしていれば、「裏切られた」なんて思いながら、嘆き悲しんで生きていくこともなくなります。

この世は、天界から来た心のきれいな人と、魔界から来た心の汚い人がいる場所。極楽と地獄の中間にあるのが地球なの。魔界から来ている連中のほうが数は多いし、力も強い。だ

から、少しでも自堕落になれば、どんどん下へと引きずり込まれてしまうのです。

あなたも他人の陰口を第三者に話したということで、魔界から来た連中の片棒担いでいたんですよ。せっかく魔界人の醜さに気づく機会が訪れたんだもの、これからは、〝人の振り見てわが振り直せ〟で、天界から来た人間のひとりになれるよう、「日常生活のすべてが魂の修行の場だ」と胸に刻んで、心正しく生活をしていけばいいじゃない。

この地球にいる限り、信頼と裏切りは、太陽と月、昼と夜のように表裏一体なのです。あなたは今回、加害者の立場と被害者の立場の両方で、そのことを身をもって学んだはず。そう考えれば、今度のことも決してムダな体験ではないはずよ。〝雨降って地固まる〟じゃないけど、自分の至らなさも含めて勉強できたんだもの。自分がさらにレベルの高い人間になるための試練が訪れたと思えば、動揺することもなくなるでしょう。

Q32 仕事が続かず、借金を繰り返す夫との生活に自信を失いました

10歳年上の夫は、結婚前から職を転々として、結婚してからも休みぐせがひどく、結局、借金がかさむ一方です。「今度から、明日から頑張るから」といいながら、結婚から1年、変わらない主人にストレスがたまっています。私の父もアキレて、「もう別れてしまえ」と、何度もいいます。生活も苦しい中、離婚も考えましたが、もう少し仕事に対しても頑張ってほしいのですが……。最近では、口論のたびにお互いにイライラして、夫からは物が飛んでくる始末で、会話もなくなってきています。私に直すところはあるのでしょうか。子供は、まだいません。

（24歳・主婦）

別れなさい。さっさと別れておしまいなさい。働かないとか怠けぐせとかは周りが変えられるようなことではありません。永久に直らないと見て間違いない。子供がいないのも幸いね。あなたと彼との問題なんだから、簡単に別れられるじゃない。「子供ができたら、この人も変わるかも」なんて、ゆめゆめ考えないことね。働かない父ちゃんと、それをとがめる母ちゃんとの大ゲンカに巻き込まれる子供の身になれば、そんな可哀相な子供を作るべきじゃないし、いざ別れようと思っても、親権やらなんやらで、すごく面倒なことになるのだから。

ずいぶん昔の話になるけれど、終戦後まもなく、まだ若いころ、私は食うや食わずやの生活をしていた時期があってね、たくさんの生活困窮者たちの中で暮らしていたことがあったんですよ。戦後の混乱で、仕事にありつける人のほうが少ないくらいだったから。それで私は「社会が悪いんだから革命を起こさなければいけない。みんなで立ち上がらなければダメだ」と、周りの人たちをたきつけて回ったわけ。そしたら、勤労意欲にあふれているのに、仕事がなくて途方に暮れている人なんて、せいぜい2割がいいところ。あとの8割は、働くのが大嫌いで、ただ毎日をブラーッと無為に過ごしていたい人たちばかり。汗水流して働くのがイヤで〝棚からぼたもち〟を期待しているような人が大多数だった。自分の血を売ってお金にしたり、自分の子供に盗みを教え込ませたりで、ちょっとまとまった小金が入ると、

また1週間や2週間、ケチな賭博以外、何もせずに過ごす……。それを目の当たりにしたとき、私は本当に驚きましたよ。私自身はもちろんだけど、私の周りにも、そんな人はいなかったから。「ああ、世の中には、こういう人がいるんだ。自分から低いところへ低いところへ、好んで流れていくような人が」と、初めて理解したのはそのときです。老若男女、時代が変わっても、必ずそういう人はいるもの。親との関係、栄養面、学校などでの体験……、原因は人それぞれだろうけど、いる、という事実は変わりません。

結婚する前から、彼は仕事をコロコロ変えたり、何かにつけて会社を休んだりしてたわけでしょう。家庭を持っても変化のない男だというのははっきりしている。子供ができても同じことですよ。まあ、あなたのほうも、「愛の力で彼を変えられる。変えてみせる」と思っていた節もあったかもしれない。でもね、変えられるもんなら、とっくに誰かがどうにかしてますよ。人間って、そう単純にはできていないもの。他人からの影響でガラリと性格が変わるなんて、ほとんどない、といっていいでしょう。

自分の愛の力や魅力で人を変えると思い込むことは、うぬぼれでしかありませんよ。まだ若いうちには、そう思いたがる部分があるのも仕方ないかもしれないけれど、さすがに20歳を越えたら現実を見すえなくてはね。「人を変えられる」なんて、あなた、神様じゃないん

だから、おこがましいですよ。ダンナさんが本当に変わることがあるのなら、自分の価値観やら怠惰な部分が根底からひっくり返るような思いを、自分の体験・経験から思い知らない限り無理。誰かがあれこれ文句をいったり、お膳立てをするくらいでは、わずかな期間、心を入れ替えるようなことがあったとしても、結局は元の木阿弥（もくあみ）になるのがオチでしょうね。

あなたのお父さんも「別れなさい」とすすめてるんでしょ。いうことを聞いといて間違いはないですよ。どこに惚れたのかは知らないけど、あなたのほうに惚れた弱みが残ってて、踏ん切りがつかないのだとしても、早いとこ思い切ったほうがいいでしょうね。本当に、子供がいないのがもっけの幸い。世間では、「子供ができたらダンナも変わる」なんて、子供をダシとして使おうと考える不届き者がいるけれど、それはとんでもない話。お金や生活態度のことなんかで、毎日のように夫婦ゲンカを見せられている子供の心には、決して消えない傷が残りますからね。グレちゃったり、人間不信で引きこもっちゃったりで、いい方向へ向かうことは、まずないわよ。あなたたち夫婦はもう大人同士だし、そういう連れ合いを選んだのも自分たちの責任だけど、子供はまったくの被害者なんだから。不幸な子供を生み出す前に離婚なさい。この世に男がダンナだけ、ってわけじゃなし、今度はまともな男を選ぶよう心がけていればいいんです。

Q33 再就職を決めない主人が不安で先々の自信を失いそうです

主人は1年半ほど前、10年勤めていた会社を、会社との意見の違いから退職し、以来、就職活動はしていますが無職です。「働きたいけど思うような職場がない」といいますが、ぜいたくをいってる場合ではないと思うのですが。私は以前から正社員として働いており、現在は主人と主人の母を扶養し、代わりに、何もしなかった主人が家事全般をしてくれています。主人は母子家庭で育ったため、中学時代からアルバイトをし、結婚後も別居している母親に仕送りをしてきた人だから、と信じてきたのですが、自信がなくなってきました。私は主人を甘やかしているのでしょうか。（42歳・主婦）

あなたたち夫婦は、前世は逆だったんじゃないかしら。つまり前世では、あなたがご主人で、ご主人が奥さんだった、ということ。その名残がいま現れているんじゃないかと思います。

会社に10年いて、意見の相違で辞めてしまった、というけれど、たぶん、ずっと前からイヤでイヤで仕方なかったんでしょう。だから、意見の相違が出たのをいい機会に、辞表を出したように、私には感じられます。ご主人が再就職しないことを焦る気持ちはわかるけど、男でも女でも、人間には誰にでも向き・不向きがあり、能力を発揮できる分野も人それぞれであることを、あなたも知っておいて損はない。籠（かご）に乗る人、担ぐ人、そのまたわらじを作る人……。役割というのは、何もひとつに限ったものではない。だから、あなた自身がご主人の資質や得手・不得手にもっと目を向けてみてはどう？

「どの役が合うか」は、性別も判断基準にはなりえませんよ。いままでの常識からすれば、男は外で仕事、女は家で家事、なんて振り分けられていたけれど、そんな単純に分けられるはずがないのだから。女だってバリバリ仕事するのが当たり前になっている時代に、なぜ逆は認められないのか。つまり、家事全般に才能を発揮し、喜びを見いだす男だって、たくさんいるはずだし、それはおかしいことでもなんでもない、ということなの。桃太郎やかぐや姫の時代じゃないんだから、「おじいさんは山へしば刈りに、おばあさんは川へ洗濯に」な

んて決まりが、すべての人に通用するはずがない、と考えるべきでしょう。
「男は〜〜ねばならぬ」「女は〜〜ねばならぬ」という固定観念から、もっとたくさんの人が自由になっていい、と私は思います。「夫は妻を支えるもの。妻は夫に支えられ従うもの」という、旧態依然とした考えを捨てるだけで、あなたもラクになるんじゃないかしら。大黒柱の性別なんて、決まっているわけじゃないんだから。実際、現在の日本でも、奥さんが外で働いて、ダンナさんが家で子育てや家事をして、それでうまくいってる家庭が増えてきているし、あなたの家庭も、もしかしたら、そのパターンかもしれません。

ご主人も母子家庭で育ったから、「母ちゃんに苦労はさせまい」と、いままで無理に無理を重ね、働いてきたような部分があるのかもしれない。それをあなたが勘違いして、「この人は社会人になる前からバリバリ働いてきたような人だから、きっと頼りがいがあるはず」と、従来の〝男らしさ〟を押しつけているのかもしれない。ちょっと視野を広げることで、あなた自身、気づかなかったものが見えてくるケースです。

いま話したことを、自分の中に取り込んで、それから腹を割ってご主人と話し合ってごらんなさい。彼自身、仕事が見つからない焦りも、女房に養ってもらって、男のプライドが傷ついている部分もあるでしょう。でも、あなただけでなく、ご主人も、自分を縛りつけている古

い固定観念から自由になることで、まったく新しい夫婦のあり方を見つけることができるの。今回のことは、2人の関係を、それまで自分たちが思いもしなかった場所に導き、かつ、居心地のよいものに変える可能性も含んでいる問題だと、私は思います。話し合った結果、ご主人が本当は仕事をする気も家事をする気もない人間だとわかった場合、または、あなたが仕事を続けるつもりがないのなら、離婚するのもやむをえないでしょう。ただし、後者の理由では、あなたもご主人と同じタイプの人間なのだから、慰謝料を請求してはいけないけれど。ただ、あなたが仕事をすることが好きで、ご主人も家事をすることが好きならば、そのままの男をまるごと理解し、受け止めてもいいでしょう。欧米などでは、もうずいぶん昔から、そうやって自分たちなりのパートナーシップを築いているカップルがたくさんいますよ。

もし、あなたたちが、従来の意味での男女の役割が逆転した夫婦でも、本人同士が問題ないのなら、それでいいじゃない。世界にこれだけの男と女がいて、全員が全員〝男らしさ〟〝女らしさ〟の、たった2つの枠にそれぞれ振り分けられたら、そのほうが不自然でしょ。「あら、私たちって、日本では時代の最先端をいってるカップルなのね」と考えれば、新しい生活へと移行していったとき、いまよりもラクな関係でいられるはず。より深くお互いを理解し合うことで、思いやりも生まれるはずですよ。

Q34 ものの考え方が恋人と食い違うばかりで、答えが出ません

年内に恋人との結婚を控えています。20歳のころから、新興宗教とは別なところで神様の存在を意識し、不都合時にも怒らず、楽しむくらいで過ごしてきました。彼とのケンカでも、そう努めてきたつもりです。でも彼は、感情がない、人間らしくないといいます。1度、彼のいうように不満を口にしたら「オレの苦労がわかるのか」といわれました。相手の怒りを受け入れるだけでも、また、自分の怒りを口にしても納得されない。これだけ考えの違う人とは、結婚そのものを見直すべきでしょうか。それとも、何もかもさらけ出し、収拾のつかないところまでやるべきでしょうか。

(29歳・会社員)

そうね、1度やるだけやっちゃってもいいんじゃない。とにかく、思ったことをなんでもかんでもズケズケと口にしてみることね。自分を抑える気持ちとか、相手に対する遠慮とか、心の垣根とか、もう全部とっぱらって、悪魔か羅刹にでもなったつもりで、野獣のごとく怒鳴りまくって非難しまくってみなさい。いまどきの、タメ口の汚い言葉遣いで、怒って泣いて叫んで、不平不満のすべてをぶちまけるの。「オレの苦労がわかるのか」なんて怒鳴られたら、「アンタこそ、私の苦労なんかわからないでしょ」って怒鳴り返したりね。で、ケンカが終わった後で、「あなたの望むとおりにしてみたわ。これで満足?」とでも彼に聞いてみたらいいじゃない。実際、彼はそうなることを望んでいるんだから。もう大喜びなはずよ。喜ばないんだったら、言行不一致な男だということ。見切る材料にはなるでしょう。

あなたの彼のような男とお付き合いするのは、とってもラクよ。気遣いも何もいらないし、よそでイライラすることに遭遇したら、そのストレスを全部ぶつけられるんだもの。いつでも自分の感情優先で動くことを、相手のほうが喜んでいるんだから、こんなにラクなことはない。でもね、確かにラクだけど、上質な人間のすることとはいえませんね。ラクな方向へ流れるとは、道を逆もどりすること。それを頭に入れたうえで、行動を起こすことね。人間は、ホモ・サピエンスという名の獣として生まれ、時間をかけて、努力を重ねて、洗練を経

て、人に成長するもの。なんの努力もしなければ、獣のまま大きくなるだけ。人にはなれません。洗練とは、感情や欲望を理性でコントロールすること。その自己抑制を立ち居振る舞いに生かすこと。知性・教養で自分を磨くことです。でも、いまの日本は、若い子からオバタリアン、オジタリアンまで、とても人とは呼べないような程度の生きものがうようよしている。きれいな言葉遣いも知らず、なんでもかんでも自分の感情のままに事が運ばなければ爆発するような生きものね。それが日本の文化程度だし、彼もその部類に入ってるのでしょう。

彼のことをどうしても失いたくないんであれば、1度、人生勉強も兼ねて彼の土俵に入って、同じレベルで戦ってみることね。口を極めて相手を罵り、臓物から何から、ぶちまけるだけぶちまけてごらんなさい。もしかしたら、あなたにとっても目からウロコが落ちるような体験になるかもしれないし。善かれ悪しかれは別としてね。

マリリン・モンローがいい例だけれど、頭のネジがひとつやふたつ緩んでるように見える女を、いつも男は求めています。それはなぜか？　彼に限った話じゃないけれど、多くの男は、女が人格的に高い場所にいるのを望まないのです。けぶったくなっちゃうから。性欲、劣情を抱けなくなるし、「オレが守ってやるんだ」っていう保護本能をかきたてられなくなるのね。女に対して、尊敬の気持ちを持ちたくないわけ。いつでも優位にたっていたいんで

すよ。自分の教養のなさや、人格的な至らなさを、自分の女に気づかされてしまうことに耐えられない。あなたの彼も、心のどこかでそう感じているからこそ、あなたに下に降りてきてほしくて、獣の流儀を求めている、と私は思います。

私から見れば、あなたと彼は、同じ場所で花開くタイプではありません。〝やはり野に置けれんげ草〟で、それぞれにいちばん似合う、しっくりくる場所があるはずです。でも、私が「似合いのふたりじゃないから別れなさい」っていうだけじゃ、踏ん切りもつかないはず。だから、勉強のつもりで、1度、獣になることをすすめるの。やるだけのことをやった後なら、「こんなことをずっとやり続けるなんて、私には無理だわ」と思うか、「意外とラクちんでいいわ」と思うか、おのずと結果も出るでしょ。さっきいったように、ほとんどの男はマリリン・モンローみたいなのが好きだけど、世の中には、あなたと同じ場所できれいに咲ける男も、いることはいますよ。静かなインテリジェンスとたしなみを備えた、奥ゆかしい女が好きな男もいます。よほど上等の、文化系の男に限られてくるけれど。文科系の中にも、谷崎潤一郎の『痴人の愛』のように、全身これ性器、獣そのものといった女に惚れるのもいるから、あくまでも〝上等〟な男に限りますが。でも、自分が一生を賭けるにふさわしい相手と結婚したいのなら、頑張って探すのもいいんじゃないかしら。

Q35 周りから無責任に「苦労知らず」といわれるたび、腹が立ちます

背も低く、童顔で、性格も内向的なせいか、夫側の親類やご近所から、よく「苦労知らずで子供のままだね」などといわれます。でも、実家が火の車で、私が奨学金を借りて大学を卒業し、いまでも奨学金を返し続けていることや、職場でも、男性からのイジメに近い扱いの中、総合職としてやってきたこと、亡くなった実父の介護に追われたことも彼らは知りません。なのに「のほほんと生きやがって」みたいなことをいわれ、身を切られるようにつらいのです。「何も知らないくせに」といい返したくなるときもあります。そういった人たちに、どうすればすっきり対応できるでしょう。

（28歳・主婦）

あなたと私は、立場がとても似ています。所帯くささや苦労が、みじんも表に出てこないんでしょ。素晴らしいことじゃないの。そこが似ている。でも気持ちの持ちようが違う。私は、所帯くささや苦労を、他人に感づかれた時点で、自分の負けだと思っていますよ。

多くの人が、私の『紫の履歴書』を読んで、もう目を皿のようにして驚くのよ。私が住む部屋もなかったり、進駐軍相手に客引きやってたり、行き倒れになったり……、そんな過去があるようには、どうしても見えない、って誰もがいいます。苦労などを人に感づかれたら負け、と思っている私が、なぜあの本を書いたかというと、予防線を張るためだったのね。有名になった後で、「おまえの過去をバラされたくなかったら金を出せ」とか、ゆすりをかけてくる連中って必ずいるんだけど、本人が先回りして書いとけば、連中にしてもゆすりようがないわけ。ニュースにもなんにもならないんだもの。だから書いたの。「私はこれだけ苦労をしてきたんです」なんて公表する気持ちは毛頭ありません。自分がそんな人間だったら、夢を売る商売なんてできやしないし、その前に自尊心が許しません。本を読んでいない人や、最近ファンになった若い子からは「小さいころからお金の苦労なんて、1度もしたことないでしょ」とか「ずっとスターで、ずっとぜいたく三昧だったんですよね」とか、いつでもいわれますよ。「だから美輪さんは、優しくておっとりしててゴージャスで、いつでも

〝よきにはからえ〟って感じでいられるんですね」っていうの。だから私は「ええ、そうよ。私、ほんとにそんな苦労、したことがないの」って、ニッコリ笑って答えてあげてます。

苦労や貧乏自体は、誇りや勲章にこそなれ、恥でもなんでもない。でもね、それが表に出てしまって、他人からいらぬ同情などされるのは、貧乏や苦労に負けてしまったことを意味します。あなたは人から「苦労知らず」といわれ続けているんでしょ。勝ち負けでいえば勝っているんですよ。「苦労知らず」という他人の評価は勝者に与えられる賛辞なのです。だから「すいません。ほんとに知らないんです」って、天真爛漫に答えておけばいいだけの話。モヤモヤするんだったら「あらあら、なんにも知らないのね」と、心の中で舌を出しておけばいい。私もね、講演とかで苦労話をしなきゃいけないときもある。でも、そういうときは、わざとめっちゃくちゃゴージャスにしていきます。私の話をいかにも安っぽい、お涙頂戴と受け取られるのは絶対にイヤ。侮辱以外の何物でもない。だから、ゴージャスな格好で目くらましをして、バランスをとるのです。

「誰も気づいてくれない。わかってくれない」と思うと、被害妄想が大きくなるばかり。気持ちの持ちようを変えるだけで、私のように、苦労を悟られない自分自身を誇りに思うことができるはず。他人が好き勝手にあなたを判断しても、いちいち流されて悲しくなったりし

ないはずです。それにね、ものすごい洞察力があって、しかも温かい慈悲の心を持った人なんて、10万人にひとりいればいいほうですよ。「自分のことを何もかもわかってくれる人が、いつでも自分のそばにいてくれる」なんて思っているから、「この人も私をわかってくれない。この人も違う」って、焦ってイライラしてる部分もあるんじゃないの？

他人というのは、人のことなんて注意深く見ているものじゃないし、困ったときにはなんにもしてくれないものです。千円だって貸しちゃくれませんよ。くれるのは悪口ばかり。ご主人側の親戚といっても、しょせんは他人。向こうにすれば、あなたがまったく苦労のない人生を歩いているように見えるから、妬(ねた)ましくてイヤミのひとつもいいたくなるのです。そう思えば、「苦労知らず」という言葉をほめ言葉と受け取ることのほかに、自分自身が何をすればいいのかも、おのずと見えてくるでしょ。あなたがすべきことは、他人の妬みの感情を反面教師にして、自分の家族を大切にしていくこと。それから、始終マイナス面の感情ばかりまき散らす他人様とはお付き合いを控えて、静かな家庭をつくるべきです。もちろん、ご主人の立場もあるだろうから、親戚の鼻先で扉をピシャーンと閉めるような、余計な敵を作るような方法はダメよ。人の出入りが多い家ってね、にぎやかで楽しそうにも見えるけど、その分トラブルも多いことを肝に銘じておくべきですね。

7

理智があなたの武器になる

「未来になんの希望もない」「何をしていいかわからない」と、オロオロしているだけの人は、いつまでたっても答えを出すことはできません。それはなぜか。文字どおりオロオロしているだけで、考えていないからです。「どうしよう、どうしよう」という感情ばかりにとらわれて、冷静になれないんですね。

何かを決断するときは、知性と、自分をコントロールする理性の両方がなければお話になりません。理性の下でないと、知性を働かせることはできないのです。

問題が起こったら

何か悩みごとが持ち上がると、誰でも心がモヤモヤしてくる。そのモヤモヤが大きくなると、厚い雲のように心の目を覆ってしまう。それで、何も見えなくなってしまって、「どうしよう」とオロオロしてしまう。だから、この厚い雲を吹き飛ばしてやることが先決なのです。

まずはゆっくりと深呼吸。そして「人は人。私は私。悩むくらいで死ぬことはない。なぜなら私は、尊い神様のひとりだから。神様は神様らしく、堂々としていましょう」と唱えてごらんなさい。すると、モヤモヤした感情、情念がスッと落ちて、心がクリアになる。理性

が戻ってくるんです。理性が戻れば、後は大丈夫。悩みを解決するために何をすればいいか、考えられるようになります。神様として。

家族だって他人同士

悩みごとの中で、もっとも情念にとりつかれやすいのは、家族に関する悩みかもしれません。「人は人」と、簡単に割り切れなくなってしまう人が非常に多い。

でもね、血を分けたといっても、単なる物質である細胞の何パーセントが同じかもしれない、というだけの話です。それに、いま家族だからといって、前世まで家族だったわけではない。お互いに輪廻転生を繰り返す中の、たった1回、たまたま縁があって、ひとつの家族の中に生まれてきただけの場合もあるのです。そう考えれば、家族だって、ある意味で他人。自分と何もかも同じであるわけがないし、自分に影響を与える唯一の人たちでもないことがわかる。

「親は何々すべきなのに」「子供は何々せねばならぬ」と考えるのは、まだ情念から解放されていないのです。親と子の問題とか、兄弟姉妹の問題にしてしまうから、ややこしくなってしまうんですよ。戸籍上の続柄を表す記号にしかすぎない、父母、兄弟、夫妻という、単

なる言語に惑わされてはいけません。あくまでも対人間同士。「お互いに、いかにいい人間同士でいるか」と考えれば、スッキリするものなのです。

肩書は、しょせん肩書

以上述べたように、親、子供、兄弟姉妹というのは、続柄を表す記号でしかない。ただの肩書。レッテルです。レッテルに惑わされていては、相手を冷静に見ることはできません。理性が戻ってこないのです。

嫁、姑、先生、上司……。世の中にはいろんな肩書があるけれど、惑わされている人が多すぎます。例えば〝嫁〟だって、実家に戻れば〝娘〟になるし、同窓会に行けば〝同級生〟、職場に行けば〝ＯＬ〟になるんですよ。

記号なんかを手がかりにしていては、人間は測れません。それらを全部とっぱらって、「この人は、どんな心を持っているだろう。清らかなのか、汚れているのか」と、心の目でしっかり観察し、判断しなければいけません。それが、人を見る目を養うということです。仮にお父さんが人でなしだとしても、あなたには関係のない話です。あなたも、お父さんも、肩書をはずせば、ただの人間同士、他人同士なのですから。

割り切ることで知性も働く

理性でスパッと割り切ることができたら、後はもうしめたもの。どのように事に取りかかるべきかの知恵も浮かぶでしょう。発想の転換を図るだけでラクになれる場合もあるでしょう。〝下手の考え休むに似たり〟なんてことは起きなくなるわけです。

人生において、なんらかの決断をし、前に進むためには、理智が不可欠なのです。文化が心のビタミンだとすると、理智は燃料ですね。

身体にも両方必要なように、心にもビタミン、エネルギーの両方が必要なのです。

Q36 東京で暮らす娘に、どのように人の道を教えればいいでしょうか

21歳、18歳の2人の娘は、東京の専門学校に行っていますが、学業よりバイトに励んでいる様子です。大都会の中で、お金に心を動かされているのが、離れていてもわかります。夫は視力障害のため、私が働いて家計を支えてきましたが、子供たちは「お母さんの一生は損な人生だね」といい、ケロッとしています。娘には間違った道を歩いてほしくありません。子供たちに親として、人生の目標や、あるべき生き方を教えていくには、どう伝えるのがよいでしょうか。

（49歳・看護婦）

娘っていうけど、3つや4つの子供じゃないんでしょ。ほっときなさい。お説教する必要もない。18歳や20歳っていったら、もう大人。自分で自分の人生を考える時期だもの。遅すぎるくらいだけど、間に合わないわけではない。だからあなたは、遠くから見ているだけでいいのです。帰省しているときだけ、言葉じゃなくて態度で温かく迎えてあげなさい。

あなたが若かった時代と現在とでは、世代による価値観の違いもあるし、社会環境も大きく変わっているでしょう。娘さんからすれば、あなたが口出しするたびに「的外れなことをいってるな」って感じてるはずよ。的外れじゃなくても、的外れだと思おうとする。特にいまの若い子はそう。しかも、同じ言葉でも、他人にいわれた言葉はグサッと胸に刺さるけれど、身内がいったら馬耳東風、耳を素通りしちゃうもの。いまの家族っていうのは慣れ合いが生じてるから。だから、いうだけムダなんです。

親にすれば、子供はいつまでたっても子供のまま、って気持ちもわからなくもないけどね。50になった息子が外出するとき、80になろうかって母親が「木登りみたいな危ないことするんじゃないよ」と心配する、なんて笑い話があるくらいですから。でも、あなたの子供だって、もう小学生や中学生なんかじゃない。立派なオバさんでしょう。いまは女子中学生が女子高生をオバさんと呼ぶ時代なんですよ。それを意識しないとダメです。

言葉でわからせようとするのはムダな努力でしかないわけだから、行動で示してあげるほかありません。戻ってきたときだけ優しく迎えてあげるだけでいいのです。オアシスのような存在ということね。何か問題が起こったとしても、結局は誰だって自分で解決していかなくてはいけないものなんだから。例えば、お金のことで大きな問題抱えて泣きついてきたとしても、「自分の不始末は自分で決着つけなさい。そうすることでお金の大切さや怖さもわかる。将来のあなた、つまり家庭を持ち、子供抱えたときに、やりくり算段つけるときのためにもなるんだから。苦しんだ分、身をもって勉強できるはず」と、愛情をもって、自分ですべてやらせるべきです。

専門学校も卒業して、仕事するようになったら、親に仕送りするくらいでなければね。下の子供も20歳を越えたら「あなたたちももう大人。本当ならば、私たち夫婦が面倒を見てもらうくらいの年齢よ。お父さんのこともあるから、私はもうあなたたちの面倒は見られません。だから、面倒見てちょうだい」っていうくらいでちょうどいいくらいですよ。そうすると、子供たちは、自分がいつまでも子供だと思ってる気持ちに「私たちも、そんなトシになったのね」と、冷や水浴びせられて愕然(がくぜん)とするから。そういう自覚を持たせることだけが親の役目。後は子供たちが自分で考えていかなくてはならないのです。

「お母さんの一生は損な人生だね」っていわれるなら、逆に「あら、そこまでいうんだったら、これからはあなたたちが儲(もう)けさせてくれるのよね」ってハッパをかけるくらいでないとね。

もう年齢的には大人なんだから、過剰に心配するのは逆効果。うざったい存在としか思われなくなるわよ。そうしたら、向こうからは連絡のひとつもこなくなるし、秘密もたくさん持たれるでしょう。ほっとくくらいのほうが、向こうも寂しくなるから、連絡もよこすし、帰ってくる回数だって増える。〝追えば逃げて、逃げれば追う〟もの。親として心配する気持ちもわからなくはないけれど、対等な大人同士として、一線を引いた接し方をするくらいの余裕を持つことも必要ですよ。

Q37 子供をまったくかまってくれない主人とは離婚するべきでしょうか

主人は、私には嫌われたくないようで、気を遣い、大事にしてくれるのですが、4人の子供にはまったくの無感信。子供が「遊んでくれ」といっても、「イヤだ」と全々かまいません。最近では子供も父親を無視、悩みなども私や私の兄に相談しているのです。子供も「離婚して」といい、私もそうしたいのですが、私の親は生活のことなどを考えて反対しています。父親の愛情をもらえない子供たちが可愛そうでなりません。（注・漢字は送られてきた手紙のままです）

（30歳・主婦）

〝無感信〟は〝無関心〟だし〝全々〟は〝全然〟、〝可愛そう〟は〝可哀相〟よ。あなた、ほんとに30歳なの？　困っちゃうわねぇ。誤字、脱字だらけなうえに、字そのものも、みみずがのたくってるように汚いし、便箋（びんせん）だって、小学生が使うようなイラスト入り。すべての面において子供レベルなのよ。というより、ちょっと勉強している子供なら、ここまで漢字を間違えたりしませんよ。

戦前までの男はね、「メシ、フロ、寝る」じゃないけど、1日に三言しかしゃべらないのがよしとされていました。妻が「おはようございます」っていっても、「うん」、「いってらっしゃいませ」っていっても、「うん」っていうだけって男が、いい男だとされていたのです。子供にとっても父親は、ふだんはしゃべらなくて、怒るときだけ大声を出すような怖い存在で、そのかわりに母親が、優しくて愛情あふれる存在だった。それが家族の理想のあり方だったのよ。実際、それで子供もちゃんと育っていた。父親が子供に対して強く怒れなくなって、妙に優しく、甘くなった現在のほうが、人殺ししたりクスリに手を出したり、ワガママで手のつけられない悪ガキが多くなっている。父ちゃんが憎まれ役で母ちゃんが好かれ役っていうバランスでちょうどいいんです。

あなたのダンナはね、子供にあなたを取られたような気がしてるんですよ。すねちゃって

るわけ。あなたに惚れすぎてるもんだから、自分の子供をライバルだと思ってるところがあるのね。男は永遠に子供のままっていうけれど、その典型です。子供が4人もいるのも、性生活がうまくいってる証拠でしょ。可愛い男じゃない。いいダンナじゃない。まあ4人も子供がいれば、あなたも女から母親になっちゃってるから、よけいに寂しがってるんでしょうね。そんなに熱烈に愛してくれるダンナがいることを、自慢しこそすれ、悩むなんておかしいですよ。

「離婚したい」っていうけれど、子供4人も抱えた女がそんな簡単な理由で離婚できるかっていうの。あなたの両親が反対するのも当然です。そんな理性も知性もないようなこと考えてるあなたのほうが間違っている。だいたいこんな汚い字で、教養のかけらもないような手紙を書く30女を、この不景気にどこの職場が雇ってくれるというの？

仕事のことだけじゃなく、男のことにしてもそう。子供レベルの教養さえおぼつかないババアに惚れるようなもの好き、そうはいませんよ。そんな女に惚れてる男が亭主でいてくれる。ラッキーじゃないの。めっけもんじゃないの。何を勘違いしてぜいたくいってやがんだい。

子供のために離婚する、なんてことを考えてるようだけど、すべての面倒をあなたに見ら

れる子供の立場にもなってごらんなさい。あなたレベルの教養じゃあ、仕事だって見つからないし、子供に何も教えられない。子供が可哀相ですよ。離婚だなんだいってる前に、あな

教えられるくらいに教養にあふれた女になることを考えるべき。悩

れているのです。

ダンナはあなたに気を遣ってくれるんだから、ペン習字を習うとか、いろんな本を読むとか、カルチャースクールに通うとか、しばらくは自分の引き出しを増やすことに専念しなさい。親というのは、人生の先輩として、人としてあるべき姿を子供に教えていく義務、ちゃんとした大人になるためのノウハウを、自分のすべての引き出しから子供に与えていく義務があるのですから。いまのあなたでは、何を教えていけばいいのかさえもわからない状態のはず。ただ食わせていくだけが親の役目だと思ったら大間違いです。

Q38 不況の中、子供を進学させられない不安におびえる毎日です

2人の子供がいますが、不況で主人の収入が減り、このままでは子供を進学させられず、悩んでいます。子供が帰ってくる時間までに終わる仕事もなく、家にいる毎日です。なんの役にも立たない自分が情けなくなります。「子供のためを思えば働くでしょう」と、周りにいわれます。子供の「ただいま」という声を聞くのも親の仕事と思っていましたが、単なる自己満足なんでしょうか。これで主人が病気でもしたら、わが家はいちころです。主人や子供に対する申し訳なさから、夜も眠れないことが多くなりました。前進しない自分に、どうか厳しいアドバイスをお願いいたします。

（40歳・主婦）

結局、あなたは何をどうしたいの？「夫や子供に対して申し訳ない。自分が情けない」って、あなたの手紙はそればかり。自分は何をするべきだと思っているの？

家族を愛する気持ちにあふれているのはわかるけど、それだけじゃ家庭は成り立たない。あなたは情念ばかり先に立って、理性的にものを考えていません。情念が9割以上を占めちゃっているの。情念だけじゃ、この世の中、渡っていけませんよ。家計簿ひとつつけるのだって、冷静になって計算しなきゃいけないわけでしょ。情念を全否定しているんじゃないけれど、人は、クールな部分、理性的な部分を半分は持っていないと、生きていけないのです。

あなたの悩みって、あなただけじゃなくて、ほかの多くの家庭に共通している悩みなの。自分の家だけだと思っていたら大間違い。このご時勢だもの、これから先も増えていくでしょうしね。この種の悩みには、泣いたり嘆いたり、感情的になることは、なんの役にも立ち[illegible]味方になるかといったら、理性なんです。理性しかないんです。[illegible]、覚悟決めて働くしかないじゃない。泣いてるヒマがあるんだったら、仕事を探せっていうの。ビルの清掃でも便所掃除でも、なんでもいいでしょう。歯を食いしばって勤め上げてごらんなさい。愛する子供のためだったら、世界中を敵に回しても立ち向かう気力だってわいてくるはず。あなたはまだ働こうともしていない。ご主人だっ

て、収入は減ったとはいえ、まだ元気で仕事している。抜き差しならないところまで追い詰められてやしないじゃないの。本当に困った状況って、そんなもんじゃありませんよ。私はホームレスやってた時期もあるから、よく知っております。寝る場所も着るものもないわけじゃないんでしょ。なのに、何をオロオロしているの。あなたに必要なのは、感情・情念のはありません。冷静になり、理性を総動員して、「どんな仕事でも志を固めることです。それから、これはとても大切なことなんだけど、家の事情は子供たちにもきちんと話すこと。「子供には経済的な心配をさせたくない」とか「苦労はさせたくない」と思う気持ちはわかるけど、こういうことは、いわなきゃ伝わりません。伝わらないと、子供はわがままになるだけ。〝親の心、子知らず〟という諺のとおりになっちゃうの。家計簿を見せながら、「お父さんの給料はいくら、生活費はいくら、あなたたちの進学費用として貯金に回す分がいくら」って、はっきり説明しなさい。「だから、お母さんも働きにいかなきゃいけない。でも、仕事をきちんとしてくれる人にしか給料が払われないのは当然ね。だから、私が帰ってくるのも遅くなる。あなたたちに、〝新聞配達をしろ〟なんていわない。その代わり、食事のこととか、お風呂のこととか、家の中のことは、あなたたちで分担して、しっかりやってほしい」と、きちんと話しなさい。

今度の機会は、「一家が力を合わせないと、家族は成り立たないの」と、子供たちに教えるチャンスでもあるのです。それも立派な教育。学校で教わることだけが教育ではない。オウムの連中を見ればわかるように、学校の成績がよければ一流の人間になれるとは限りません。逆に、私みたいに、最終学歴が中卒でも、しっかり生活していける人間だってたくさんいます。学校教育だけが教育などではない。人生を乗り切る自覚を持たせるのも大事な教育のひとつです。愛するあまり、子供だけわがまま放題の治外法権に置いてしまうのは、子供のためになりません。自分も家長であり、母であり……、つまり、自分も〝家族〟を作っていく一員だと自覚させること。この自覚ができれば、子供にも自立心ができるし、親の苦労に対する思いも深くなる。災い転じて、じゃないけれど、家族の団結をより強くする好機だと考えたら、グズグズ泣いてる前に、やるべきことがたくさんあるのに気づくはずです。

これからは情念だけにとらわれず、自分の頭を冷静にして、理性的にものごとを判断する習慣をつけていくこと。自分の仕事も、子供への教育も、自分の理性的な部分で行うものです。そこが未発達のままだから、いまの状況を、ただ泣いて嘆くしかできないのです。泣いても、誰もなんにもしてくれません。ならば、あなた自身の甘えを断ち切るよりほかにないでしょう。覚悟を決めなさい。

Q39 職場の人間関係と身内の不幸で疲れきってしまいました

子供を預かる大切な仕事に就いていながら、職員同士の争いに腹を立て、職員にも子供にも不機嫌に接してしまいました。その場では謝ったものの、いづらくなって辞めてしまいました。私は人とのコミュニケーションが苦手でユーモアに欠けるうえ、「人はどう思っているか」と、人目を基準にものを考えるタイプです。それが原因で、過去に2回も職場を変わっています。こんな私でも、人付き合いはうまくいくものでしょうか。弟が亡くなったこと、父親が酒浸りなこと、と耐え難い出来事も重なり、不幸ばかりを追ってしまいます。美輪さんの本や歌を楽しんでるのに……。

(29歳・無職)

私の本や歌を楽しんでいるのだったら、ただ漫然と楽しんでいるだけでは困ります。それを自分で嚙み砕いて、自分の細胞にしていかないと。自分の血とし、肉としていってもらうために、私は活動しているのだから。お芝居にしても、スピーチにしても、この人生相談にしても、みなさんの実際の生活に役立ててほしいと思っているからこそ続けていること。なのに、ただ別世界の出来事として、「ああ、楽しかった」で終わりでは、私だって仕事をしているかいがありません。

子供を預かる商売って、たぶん保母さんのことだと思うんだけど、保母さんをはじめ子供を預かる商売で、いちばん問題になるのは人間性。例えばOLとかだったら、事務処理能力などで商売をするけれど、保母さんは人間性で商売をするの。「人付き合いが苦手でコミュニケーションもヘタ」というけれど、そのほかに、人間性の問題が自分の中にあるかどうかを判断しなくてはね。仕事は仕事。お金もらっている以上はプロなんだから、私的な感情を言い訳にはできません。仕事をする女の人に多いのは、怒られたときに、ただ〝怒られた〟ということにこだわって、感情的になってしまうケース。上司にしてみれば、仕事のことでうんと怒っても、本人のことまで憎いわけじゃないから、「メシでも食いに行こうか」って誘ってみたのに、「お腹なんかすいてません」って険のある答えをされて困り果てちゃう。

「自分はどうして怒られたのか」ということを、理性的に判断できないから、「この人は私のことが嫌いなんだ」って、公私混同してしまう人が非常に多いんです。あなたも29歳なんでしょう。そのあたりを理性的に割り切れるようにしないと、一生、そのままですよ。

それから、この本でも何度もいっているけれど、人間関係のゴタゴタっていうのは、どこでも起こるもの。人とのかかわり合いがイヤなら山の中や無人島でひとりで生きていくほかはない。それが無理なんだったら、目いっぱい腹いっぱいで付き合うのではなく、腹6分から7分でお付き合いをするよう心がけていけばいいの。仕事場におけるゴタゴタだけ、「あの人は上司で、私は部下なんだから」などと、余計な付加価値をつけて考えようとするから混乱してしまうんです。「この種のゴタゴタは、どこでも起こっていること。でも、お金をもらっていだから、私的感情で動くわけにはいかない」と、割り切ることの大切り切るための効果的な方法を、みなさんに教えてあげましょう。ゴチャゴチャ考えて混乱する前に、もっとシンプルに「いい人間とは、どんな人間だろう」と考えてごらんなさい。神・仏のように温かく、優しく、慈悲深く、強く、厳しく、思いやりがある、という人間になりたい、と考えてみること。いつも維持していくのは大変ですよ。でも、少しでも近づこうとしていく中で、いろんな形で自らの人間性を試される。抜き打ちテストのよ

うなものね。人間関係のゴタゴタは、自分がいい人間になるための抜き打ちテストだと考えればいい。そうすれば、いろんな摩擦に流されてしまうことはありません。

「人がどう思っているか気になる」というけど、それはたしなみのひとつでしょ。「教養のない女、はしたない女、がさつな女……」、そんな女に見られるのはイヤ。だからヘタなことはできない」と思えば、自分を高めるバネにもなるし。でも、やたら人のいうことに流されるようならば、何かあるごとに「人は人。自分は自分。違ってて当然」と、お題目のように唱える習慣をつけなさい。他人の行動、言動に自分を乱されそうになっても、ふっと気持ちが落ち着きますから。それが生活の知恵というものです。

身内が亡くなったことだって、あなただけに起こっていることではないでしょう。生き別れにしろ、死に別れにしろ、別れは必ずやってくるのが、生きとし生けるものの定め。それを不幸だと思うと、ますます被害妄想に縛られてしまう。いま、確かに仕事はないけど、身体は丈夫なんだから、その気になれば働けるのよ。働こうと思っても働けないほど、身体が弱い人だってたくさんいる。あなたのどこに不幸があるの？　あなたの悩みは不幸が原因ではなく、マイナス思考が原因です。マイナス思考の性格は、本人の心がけ次第でどうにでもなるもの。自分さえしっかり持って生きていけば、必ず直ります。

Q40 夫になる人からの宗教への勧誘に素直にうなずくことができません

結婚を前提に付き合っている彼は、ある宗教に入信していて、月1回、定例会に出ています。その会で、彼には孤独の相がある、といわれたそうです。私と結婚しないか、私が早く亡くなるか、離婚する、という意味のようです。結婚を控え、彼と彼の家族は私にもその会に参加し、私に〝徳〟があるか見てもらいたいそうです。彼の家族は全員参加していますが、私は宗教に関して、あまりよいイメージがありません。入信すべきかどうか、決めかねている状態です。

（26歳・会社員）

結論から先にいいましょう。やめちまいなさい。結構たくさんの人が混同しているようだから、はっきりいっておきますけれど、信仰と宗教とはまったく別物です。信仰と宗教は関係のないものですよ。

信仰っていうのは読んで字のごとく、信じ仰ぐこと。何を信じ仰ぐのかといったら、神・仏よね。神・仏とは全人格的な人の象徴なの。優しくて、温かくて、明るくて、正しくて、清くて、思いやりがあって、強く厳しくて、何物にも負けない克己心があって、つまりは欠点のない人の象徴なんですよ。その象徴を信じ尊ぶことで、パワーを貸していただいたり、病気や災害を祓(はら)っていただく、乗り越える強さをいただく、っていうことで信仰する人が多いのです。

信仰っていうのはそれだけじゃなく、自分自身も神・仏のひとりとして、全人格的な素晴らしい人間になれるように、自分を磨いていくことでもあるのです。そして、自惚(うぬぼ)れではなく、「自分は磨かれている」と思えるように魂の修行をしていくことも信仰なのです。だから、日常生活のすべての中に修行の機会、信仰があるわけ。家庭の中でも仕事場でも、自分の身体がおもむくところはすべて、魂の道場。生きている限り、人間関係で落ち込んだり苦しんだり、憎んだり憎まれたり、妬(ねた)んだりそねんだり……、ほんとにいろんなことが襲って

くる。そこから這い上がり、自分を励まし、軌道修正していく、それが修行であり、信仰なんですよ。だから、信仰とは人それぞれの心の中にある、神秘的で美しく、尊いものだといえます。

でも宗教は、神・仏と人間の間に入って、「こんな拝み方もありまっせ、そのためのグッズも売ってまっせ」っていってる流通機構なのです。それで利潤を得ているの。つまり、あらゆる宗教は企業なんですよ。古くからある宗教も新興宗教もみな同じ。企業だという点ではね。

ただし、企業の中にも優良企業とインチキ企業があるからね、それを見極めなきゃいけない。で、彼が入ってる宗教なんだけど、間違いなくインチキです。「〝徳〟があるかどうか見てほしい」なんて、あなたの心の中、つまりはあなたの信仰の問題まで支配しようとしているわけ。言語道断ね。さっきもいったように信仰と宗教は別なのだから。

「結婚したら参加してくれ」だなんてファシズム以外の何物でもないし、あなたへの愛情と信仰をごっちゃにしてる証拠。だいたい「孤独の相がある」なんて言葉で信者を脅すような宗教は変ですよ。彼よりあなたが先に死ぬだの、離婚するだの、ほんとにバカバカしい。迷信もいいところ。そんな脅しやら迷信を真に受けて、家族ぐるみであなたにまで被害を及ぼ

そうとしているような男は知性がないということ。結婚したとしても、いろいろと不都合はかれ破綻(はたん)します。結婚の対象にはなりえない男よ。アバンチュール、たけにしておきなさい。

ちゃんとした宗教では脅しや脅迫はありません。落ち込み、苦しんでいる人がいたら、励まし、慰めるのがいい宗教です。人々の意識改革、つまりは魂の状態を健康にすることに心を砕き、暴利をむさぼらない、脅しのないのが、いい宗教なのです。「何歳までに死ぬ」とか、「寂しい一生を送る」なんて脅して人を縛っていたり、大金の話が出てくるようなら、それはインチキ。ただの脅かし産業、ただの詐欺です。人の弱みにつけ込んで大金巻き上げようっていうのは、昔から詐欺でよくあるパターンでしょ。

あなたもね、これからはこういったことに引っかからないよう、信仰と宗教を見分けられるだけの知性と教養をもっと磨いていくべきですね。

Q41 自分の言動が人を傷つけるのが怖くて、自然に振る舞えません

美輪さんの連載ページを読むようになり、自分の人生を振り返り、反省することが多くなりました。その中で、たくさんの人を傷つけてしまった自分の愚かさを改めて実感しています。いままでは、自分の愚かさを恥じ入るあまり、「自分の軽はずみな言動・行動で、また人を傷つけてしまうのではないか」と思ってしまい、人に対して自然に接することができません。これから私はどう生きていくべきでしょうか。また、いままでに自分が傷つけてしまった人には、今後、どのように接すればよいのでしょうか。アドバイスをお聞きしたいと思っております。よろしくお願いいたします。

（29歳・OL）

「いままで、たくさんの人を傷つけてきてしまった」と気づいたのは立派なことです。世の中のほとんどの人は、自分がほんのちょっと悪意を受ければギャーギャー騒ぎ立てるくせに、他人の悪口をいったり、足を引っ張ったりすることは大好きときているから。おまけに、そのことに少しも矛盾を感じない。あなたの周りを見回してみても、けっこういるんじゃないかしら。自分の軽率さに気づいたってことは、進歩したってこと。以前のあなたより、いまのあなたのほうが上等なんです。そこは、自分を認めてあげてもいいでしょう。

でもね、「この先、人に対してどのように接するかがわからない」というところは、根本から考えを改めるべきです。人間は、常に少しずつしか進歩できないもの。「いままで人を傷つけてきた」ということがわかったからといって、じゃあ今日からまったく人を傷つけずに生きていけるか、というと、そんな離れ業は不可能にほかならない。仕事も辞めて、山の中や無人島でひとりで暮らしていくわけにもいかないでしょう。もちろん、「人を傷つけるのは仕方ないこと」と開き直るのは論外だけれど、最初から完璧さを求めようとしても、うまくいかないものだということも覚えておくべきですね。この先、もし自分が人を傷つけてしまったと思ったら、素直に、そして心から相手に謝ればいいだけの話。心ある人なら、ちゃんとわかってくれますよ。そして、謝った後に、過ちを繰り返さないように自分にいい聞

かせる。それだけを心がけて生きていけばいいんです。

だから、あなたの悩みは、結局は自分の心がけひとつで解決できる種類のものなんですよ。なのにあなたは「人に自然に接することができなくなった」という。自分が人を傷つけてきたなんて思いもしなかったから、そのことに気づいて、「自分はなんてことをしてきたのか」と、いままでの過大評価がガクーッと落ちて、自分自身が揺れ動いているわけ。だから、いまの悩みも、結局は自分の自信のなさが原因である、ということね。「相手に対してどのように接するか」、つまり「人に対して自分がどうあるか」を考えるより先に、「自分自身に対して自分がどうあるか」を考えなくてはいけないんです。そちらのほうがはるかに重要です。「他人様がどう思うか。どのように見てるか」なんてことは問題ではありません。自分自身に誇れる自分になることがゴールです。ただ、さっきもいったように、人間の進歩はとてもゆっくりしているから、一生を通じての問題になってきます。「自分を高めることは、自分に誇れる自分になることは、一生の問題だ」と知っておかないと、たかだか2、3か月の間に「ああ、また人を傷つけてしまった」と、同じ悩みにはまってしまいますよ。

人の目を意識しても、得られるものなどほとんどありませんよ。自分自身の評価よりも、人の評価のほうを気にするようになると、いつしか表面的ないい子ちゃんを演じよう演じよ

うとして疲れちゃうし、必ず破綻が訪れるものだから。いまの子供の多くが、先生や親の前では、問題のない子のように振る舞っているけれど、その分、心の中は荒れちゃって、陰湿なイジメや凶悪な犯罪に走っているのを、ニュースなどで知っているでしょう。

目標とするべき自分とは何か。どんな人格を持った自分になりたいのか。その理想像として、神・仏があるのです。優しくて、温かくて、思いやりがあって、何者にも負けない克己心、強さがあって、自分をも他人をも甘やかさなくて……、といった全人格的な人を心に描いたら、それに向かって自分を育て、叱り、しつけながら日々を送ること。文学や音楽、美術などの文化を通じて、自分の美意識や知性・教養を高めていくことも大切です。カサカサして荒れた心にも、ビタミン補給が必要でしょ。文化がビタミンになってくれますよ。

イメージどおり、しつけているとおりに自分自身が成長しているのを実感できたら、そんなに素敵なことってないでしょう。毎日が、生きていることがもっと楽しくなる。そういう気持ちで生き、成長しているうちに、〝類は友を呼ぶ〟で、周りにも自分を高めている人が集まるし、その人たちから「彼女って、話すことも、心の中もきれいね」と、ますます好かれるようになるのです。まず人ありき、ではなく、まず自分ありきだと、肝に銘じることから始めてみること。それから、結果を急ぎすぎないように。

8 ままならないのが人生の常

人生は、楽しいこと、素晴らしいことばかりのユートピア、桃源郷ではありません。何もかも思うがままの人生を望むのは、地球上では無理な相談というものです。正負の法則をご存じない方の、ムシのいい願いなのです。

大きく得れば大きく失う

やれ器量よく生まれて、お金持ちで、素敵な恋や愛に恵まれ、大きな家で家族もみな健康で、仕事も順調、平和で幸せ、などといくら願おうと、それは本人の自由です。でも、いっぺんに全部、手に入ってしまったら。後は落ちるだけです。しかも恐ろしいほどの落差で。命を落としてしまうこともあるのです。別に脅かすつもりはありません。ただ事実を述べているだけです。大きな〝正〟には大きな〝負〟が、必ずセットになっています。表だけが大きいコイン、片方だけに大きく揺れる振り子、影のない光がないように、これは変えられようのない事実、真理です。だから、小さな〝正〟しか得られなかったからといって、悲観することはない。手にする〝負〟も小さくてすむのです。

私がいる芸能界でも、ものすごく人気があってお金を稼いでいるタレントが、家に帰れば家庭崩壊、なんて例はザラにある。独身の人気タレントなら、休日もない、仮にあっても外

出など夢のまた夢なんて生活をしている。あまり売れてないけれど、人望があり、恋人とも自由にデートできて、という人もいますしね。悪いこともあるかわり、いいこともある。ものごとには、常に裏と表があるのです。明るい部分だけを夢見ているようでは、必ずしっぺ返しを食らうもの。ですから、すべてが手に入らないことを嘆くのは間違っているわけです。「ほどほどでけっこう。無事息災がいちばん」と思えるようになれば、人をうらやましがることもなくなる。精神衛生上、大変よろしいですね。

紆余曲折だらけの道を歩く

人生はなるようにしかなりません。流れてしまった後に、どのような心構えでいるかが重要なんです。「こんなはずじゃなかった」と思えば、恨みつらみで地縛霊になってしまう。「自分で選んで流れてきたんだから、仕方がない。ここで頑張ってみようか」と思えば、心はプラスの気で満たされる。ちょっとした発想の転換、考え方の違いです。

私だって、子供のころから、いまのような生き方を心に描いていたわけではありません。画家になりたかった時代もあったし、クラシックの歌い手を目指した時期もあった。でも、いまはこうして、ここにいる。『紫の履歴書』に書いたように、本当にいろんなことがあっ

たけれど、とにもかくにも、五体満足でここまで来られたし、仕事も続けていられるのだから、それで万々歳。いろいろと病気もしたし、悲しい別れもあったし、お金の苦労もしてきたけれど、みんな勉強。「あれもこれもありがたい。感謝、感謝」と思っているから、気持ちは安定していますよ。

仮にいくらお金があっても、「これで万々歳」と思えなければ、気持ちはいつまでも不平不満で満たされません。そして「もっと、もっと」と欲をかいて、正負の法則に従って落ちていく。幸せ、不幸せは、結局、その人の心映え、心象風景が示すものなのです。心が満たされて、美しければ、「本当に幸せだ」と感じることができるようになるのです。

運命の扉は思わぬところに

特に若い人に多いのだけれど、「幸せはここにしかない」「道はこれしかない」と、頑固に思い込むのはやめたほうがいいでしょう。これと決めた扉が開かなかったらどうするの？そこで人生、終わってしまいますよ。後は、「あのとき、あの扉が開いてくれれば」と、地縛霊の人生が控えているばかり。でも、思わず開いた扉をくぐったら、「あれ、こっちも面白いぞ。こんな可能性がこんなところにあったのか」と思えるようなことが待っているかも

しれない。地縛霊のままでは、その幸運をみすみす逃してしまいます。もったいないでしょう。そうかといって、「もっと自分らしい、自分に合ったものがどこかにないかしらん」と、漠然と何もしないで待っていたり、うろたえている浮遊霊でも困りますが。

仕事のことだけでなく、人との出会いに関しても同じことです。ご縁がある相手は、どこにいるのかわかりません。でも、「こんなに広い世の中だもの、会えるはずがない」と思うのと、「いつ出会えるか、わからないからこそ面白い」と思うのでは、人生、この世の毎日の過ごし方、心象風景も変わってくるでしょう。

〝天は自ら助くる者を助く〟というように、いつも心象風景を明るく美しく楽しくして、ロマンティックに夢を描き、物語の主人公になって生活している人に、幸運は必ずやってくるものなのです。陽の気は陽の気を呼ぶのです。もし、あなた自身が陰であれば、あなたが陰の気を呼ぶのです。邪悪な陰の気があなたを目がけて襲いかかってくるのです。つまり、吉凶陰陽の出来事は、あなた自身が発信源、震源地なのです。

Q42 若い男性と堕落していく主人が許せず、何も手につきません

主人は2年前、27歳の男性と健康ランドで知り合い、以後は仕事が終わると風呂・食事を終えてから彼のアパートへ行き、週に4、5回は朝帰りか午前様です。「何をしているの?」と聞くと、「カラオケに行ったり、ドライブしたり」と答えていますが、独身男性と堕落していく主人が許せません。最近では、同じ部屋にいると腹が立って余計なことまでいってしまうので、別々の部屋にしました。2人で家業を営んでいますが、朝帰りでも仕事は普通にしています。20歳を越えた2人の子供と、主人の兄弟には話しましたが、私は何をするにも手がつかない状態が続いています。（48歳・無職）

相談に対して嘘はつけないから私もはっきり答えます。ご主人は、その男とお付き合いしている、と思います。家族にバレたのが初めて、ということだけで、以前から男性とのお付き合いはあったのではないかとも思います。

同性愛差別っていうのは現在も根強いけれど、いま、そのことをうんぬんしても、あなたの悩みが解消されるわけでもない。だったら、こう考えてごらんなさい。ご主人を男に取られた、というショックも嫉妬（しっと）も、プライドが傷つけられた気持ちもわかるけど、ご主人が27歳の男とではなく、同じ年の女と付き合っていたらどうなっていたか。たぶん、いまごろは、あなたと離婚して向こうと結婚するだの、相手の女との間につくった子供を認知するだので、大変な大騒ぎになっていたはず。財産分与のことで泥仕合を繰り広げていたかもしれない。心の問題以上に、煩わしいことが降りかかってきたでしょう。でも、相手が男性なら、子供はできないし、法的に結婚はできない。悩みの量も少なくてすんでいるわけ。

子供さん2人も20歳を越えた大人だから、あなたたちも親としての責任は果たした。だからこの際、子供たちのことは切り離して考えてもいい。つまり、あなたの気持ちの決め方次第、ということです。

さっきもいったけれど、ご主人の同性愛って、別にいまに始まったことじゃないと思いま

す。あなたにわからないように、ずっとしていたんだろうけど、子供の世話も一段落ついたところに、若くて、自分を愛してくれる子と巡りあえたから、人生の最後の花を咲かせようと、思い切った行動に出ているのではないかしら。青春のやり直し、ってことね。

あなたが離婚するつもりなら、それはそれでいいけど、離婚するつもりがないのだったら、追い詰めることは控えたほうがいい。あなたが口うるさく問い詰めたりしたら、ご主人は本当に離婚して、家を出ることになりますから。誰だって、自分を口うるさくののしる人より、愛してくれる人のほうへ行くものでしょう。だからご主人との関係そのものを、あなたのほうからも変えてみることはできないか、考えてみてはどう?

結婚して何十年もたてば、夫婦の間の感情だって変わっていくのは自然なこと。例えば、恋心から愛情、そして友愛の情への変化のように。「いままで2人で力を合わせて生き抜いてきたご褒美として、亭主を解き放ってあげるのも愛情のひとつである」という考えもあるんですよ。

同時に、あなたも新しい花を咲かせるべく、ボーイフレンドを見つけたりホストクラブほどお金のかからないボーイズバーなんかで遊んだりすることを覚えてもいい。「あなたには何かいう資格も権利もないでしょ」というのではなく「あなたはあなた。私は私。大人の付

き合いをすることだけ守って、家庭は壊さないよう、お互いに第2の青春を楽しみましょ
主に邪魔されない自分だけの楽しみを見つけることをすすめます。
恋と呼ぶ人もいるけど、フランスあたりじゃ当たり前のこと。お互いが責任をしっかり果たしたうえで、お互いの遊びのことを認めているのだから、独立し、尊重し合っている大人の関係でこそあれ、不道徳でもなんでもない。そうなると、夫婦が、いい相棒、戦友になる。男でも女でも、よく、ほかの人に入れあげて、家庭も仕事もほっぽらかしちゃう人がいるけど、そんな人たちの不倫は、恋でも遊びでもなく、ただの発情。大人のすることではない。あなたたちは仕事はきちんとやり、子供が大人になるまでの責任を果たしたのだから、これからは、あなたも自分だけの楽しみを見つけてみてはどうかしら。すると、ご主人に対しても寛容になれるし、お互い帰ってくる港を持っているという安心感が、妻に対して、夫に対しての感謝の気持ちにもなるものです。帰る港、遊ぶ相手、両方とも持っているなら、それがいちばん結構なことなんじゃない？

Q43 母の介護と家族の世話の両立が難しく、精神的に追い詰められています

重度の痴呆の実母の介護に追われ、実母や3歳の子に当たってしまいます。昨年はストレスから鬱病になり、現在も思わしくありません。主人はとても優しく、私を気遣ってくれ、それだけが支えですが、家族のためにも母を老人ホームなどの施設に入居させることも考えています。しかし、女手ひとつで私を育ててくれた母を施設に入れるのも……、と悩んでいます。介護の公的なサービスはすべて利用させていただいています。私はもう少し頑張るべきなのでしょうか。

（31歳・主婦）

ただ単に「頑張ろう」と思う前に、発想を変えてみることが大切です。お母さんのためというよりも、あなた自身のためにね。

お母さんは重度の痴呆だけど、それに限らず、病気の人が家にいると、ともすると家の中の空気が重くなってしまうのはわかります。それは仕方のないこと。はじめから治るとわかっている病気、例えば軽い風邪だとかをひくだけでも、人間っていうのは落ち込むものだからね。だからあなたは、そうなってしまう自分を責める必要はない。でもね、年を考えれば、お母さんだって、寿命を迎えるのは10年、20年の話でしょう。あと5、6年かもしれない。いずれにせよ、あなたが一生、面倒を見続けていくわけではないでしょう。鬱病も、お母さんが原因と思わないほうがいいですよ。お母さんの介護をしていなくても、子供がいなくても、鬱になる人はたくさんいます。原因はいろいろなことが考えられるから。

あなたのことではなく、ほかの人のことを考えてみましょう。治る見込みのない病気を持った子供がいる親はね、年齢的な順番でいえば、一生、その子の面倒を見ていく。それでも、明るさを失わず、自分のことを不幸だなんて思わずに、頑張って生きているお家だってたくさんありますね。それぞれの家庭内のことではなく、仕事において、人間関係において、つらく厳しい状況の中で生きている人は、何もあなただけではありませんよ。あなたを責めて

るわけじゃないの。つらいのはわかる。だからこそ、そういう状況は自分ひとりだけのものではない、と知ってほしいのです。

なぜ、あなたの状況がわかるかといえば、私もね、同じようなことをしてきたからなんですよ。私も親や、身寄りのない可哀相な境遇の知り合い……、ほんとにたくさんの人を送ってきました。そのすべての人を、仕事と並行しながら、最後の最後まで面倒を見たんです。自分ができるギリギリのところまでね。そりゃあ大変だったわよ。何度サジを投げようと思ったことか。いまだに人にいえない苦労だって、たくさんありますよ。でもね、そのときに、自分でやれるだけやったからこそ、その人たちが亡くなったとき、私に後悔の念はなかった。そしてもちろん、いまでも後悔はまったくありません。

いまだって、あなたはよくやってると思いますよ。でも、「女手ひとつで私を育ててくれた母だから」と思っているのなら、面倒見られるだけ面倒見てみなさい。それをしないと、後で絶対、後悔することになるから。「もっと自分で面倒を見て、一緒に過ごせばよかった。あのとき施設に入れなければよかった」って、間違いなく思うから。だから、面倒を見るのは、お母さんのためじゃなく、お母さんが亡くなったときに、あなたがいらぬ後悔をしないため。つまり、あなた自身のためなんですよ。まずはそう発想を変えてみることね。

お母さんの枕元に座って、彼女がどんな人生を送ってきたのか、想像してごらんなさい。お父さんと生き別れたのか、死に別れたのかはわからないけれど、女手ひとつであなたを愛し、育ててきた人の歴史を考えてみる。そうすれば、お母さんに対するあなたの愛情もさらに高まってくるはずです。

公的なサービスも受けられているし、ご主人は理解があって優しい、そこらへんはとっても恵まれていますよ。先ほどもいいましたが、この世は幸せや楽しいことばかりのユートピアではないのです。つらいこともたくさんある。でも、そういった試練に向き合うことは、いまのあなた、そして将来のあなたが悔やまないためだということを忘れないでほしいと思います。

Q44 彼との宙ぶらりんな関係が続くことが不安で仕方ありません

私には好きな人がいて、その人とは、一緒に出かけたり、電話をしたり、はたから見ても恋人のような関係なのですが、彼からは「友達」とか「キープワン」といわれるだけ。私たちの関係を言葉にしたくないようで、私のことを好きなのかどうかもわかりませ
ん。以前「お互い30になっても独身だったら一緒になるか」といわれたけれど、最近、彼の知り合いが次々に私の幼なじみと結婚し、彼は自分たちもそうなるのをイヤがるようになりました。私はこのまま宙ぶらりんな状態でいたくありません。私には彼しかいない、と思っています。この不安な気持ちをどうすればいいでしょう。

（25歳・会社員）

「キープワン」という言葉のとおりの意味でしょうね、あなたの位置は。いまのあなたは、生きている自縛霊。自分で自分を縛っているんですよ。自分の首を絞めながら「助けて！」って叫んでいるようなものです。他人から見たら滑稽よね。ひとり相撲をとっているわけだから。

ここで第一に考えなくてはいけないのは、男というものの性。彼が本当にあなたのことが好きだったら、なんとかして手に入れたいと考えるし、「スキあらば」の勢いで粉かけてきますよ。愛しているんだったら、友達が次々に結婚したことも、自分を後押しする動機づけにこそなれ、気持ちが冷める理由にはならないでしょう。いま、彼は、あなたが「私のことどう思ってる？ 私と結婚する気はないの？」って気持ちでいるのを感じて、重荷に感じている、と思うの。それで「キープワン」なんて言葉で予防線を張っているんだと思うのね。女でも、好きになれない男に対して、「あなたってお兄さんみたいよ」とか、「いいお友達でいましょう」とか、いい逃れをすることとって多いでしょ。それと同じね。私の周りの男たちの中にも、好きでもない女からプロポーズされて、「地球上で2人だけになったら結婚しようか」とか「妹みたいにしか見えないよ」なんて答えた人もたくさんいるしね。

彼の気持ちを確かめたいばかりに、あなたがあの手この手で追い詰めてるから、彼も困ってるんじゃないの？ でも、はっきり「嫌いだ」なんて答えたら、あなたが気の毒だろうと

思って、なんとかうまくかわせないかと考えているんでしょう。あなたの態度から「手ひどく断ったら、何をされるかわからない」と思っているのかもしれない。あなたにすれば、いまの状態は〝蛇の生殺し〟だというのもわかるけど、追い詰められてる男のことを考えたら、あなたが加害者という部分もあるのよ。「このままの状態はイヤだ」というけど、待っていれば道が開ける、という問題でもないんだから、彼を恋愛の対象からはずし、さっさとほかの男を見つけるべきだと私は思います。

『風と共に去りぬ』という小説を読んでごらんなさい。面倒くさければ、ヴィヴィアン・リーの主演で映画になっているから、レンタルビデオ屋に行けばある。主人公のスカーレット・オハラはね、幼なじみの青年・アシュレイに恋をしているの。それで「絶対、彼と一緒になるわ。彼以外の人と結婚するなんて考えられない」という思い込みの中で生きているのね。それは、ただ単に習性・習慣がそうさせていただけで、愛とか恋とは別物だった。自分が習慣のとらわれ人だったことに気づいたスカーレットは、物語の最後で、好きでもなんでもなかったはずのレット・バトラーを愛していたことに気づく……、というストーリーだけど、映画を見進めていくうちに、自分でも同じような状況にいることがわかるはずよ。

「彼しかいない」というけれど、男なんて星の数ほどいるものですよ。あなたの住んでいる

場所では少ない、っていうだけの話でしょ。自分の行動範囲が狭いのを改めるいい機会でもある、と考えて、いろんな男性と知り合うようにしてもいいじゃない。あなたの不安は「彼に捨てられるかもしれない」という気持ちが源になっているんですよ。でも、「自分から彼を見切る」という心構えができれば、その不安も軽減されるはず。別れてしばらくは苦しむでしょうけれど、それは生みの苦しみだと考えること。〝ひょうたんから駒〟とはよくいったものでね、行動範囲を広げていく中に、思いもかけない男と巡りあえることだってあるんだもの。

「幸せの扉はひとつだけ」と、特に若い子は考えがちだけれど、それは思い込みにすぎません。「こちらがダメならあっちがあるさ」と、そこかしこの扉をノックしてごらんなさい。可能性っていうのは、ひとつきりじゃないんだから。ひとつの扉に固執しても、それが不幸の扉だった、ってこともある。押しかけ女房よろしく彼のもとへと駆け込んだはいいけれど、ちゃんと幸せになれる保証はどこにもないんでしょ。というより、いまの状態では、不幸が口を開けて待っているのは目に見えているじゃない。あなたのことを大事にしたい、妻にしたいと思っていないのは明白なんだし。彼のことはすっぱり諦めて、自分を愛してくれる人を見つけるための行動を起こすべきです。人生には、きっぱり決断を下さなければいけないときが何度もやってくるけれど、いまがその時期だと、私は思います。

Q45 息子の将来を案じて改名をすすめても、本人が頑なに拒否します

22歳のひとり息子がおります。大学を中退し、現在は家におります。都会は苦手、おしゃれにもギャンブルにもお酒も無関心と、いまの若い方たちとは逆行しているような子です。頼めば、家事全般を引き受けてくれます。主人も私も、心を静かに保ち、家の中も波風立つことなく平穏です。ただ最近、息子の名が心身ともに病に侵されやすく、チャンスにも恵まれない、絶対に避けなくてはならない名前と知りました。息子に対する申し訳なさで、ある先生を頼り改名していただきましたが、本人が頑として譲りません。愚かな母親でございますが、ご指導をお願いいたします。

（51歳・主婦）

あなたが思うように、姓名判断は確かに影響があります。でも、こんな例もあることを知っておいてください。

私もいろんな人から名刺をもらうんだけど、ある人から名刺をもらったら、これ以上悪い名前は考えられないってほどの凶運の名前だった。なのに、その人の顔を見ると、いままで大きな苦労をしてきていない、福運にあふれた人相をしている。不思議に思って「ほんとにあなたの名前ですか？」って聞いたら「はい、本名です」って答えるわけ。「名前だけ見ると、あなたはとっくに死んでるはずなんだけど。あなた、いままでそれほど苦労はしてきていないようですね」って私がいったら彼は「はい。おかげさまで苦労という苦労は知りません」と答えた。さらに聞いていくと、彼のご両親がとても信心深く、自分の家のことをほっといても他人様のために駆けずり回り、お題目を唱えて毎日を過ごしてきたような人たちだったのです。それで私も「ああ、この人は、ご両親の徳を全部もらってるから、幸せに生きているんだな」と、合点がいったのね。その逆に、非の打ちどころのないくらいに素晴らしい名前を持っていても、不運ばかり続くような人たちも、私はたくさん見てきました。その人自身に信心がなかったり、原因はいろいろあるんだけれど。だから、名前だけで幸せが約束されるようなことって、実はほんとに少ない。まずは、そのことを覚えておいてね。

息子さんは新しい名前を嫌がってるとのことだけど、名前って、その人との相性の問題が大きいんですよ。名前がその人の〝気〟や〝波動〟を動かすことによって、福運が開く。これが姓名判断による影響です。でも、本人が好きじゃない名前だと〝気〟が動かない。どんなにいい名前を持っていても、効果がない。先生に改名を頼んで高いお金を払わされたり、読めないような字に変わったりといった苦労をしても、本人が気に入らなければ、すべてムダです。個人の好き嫌いは、たとえ親だってどうこうできるものじゃない。ならば、名前はそのままにして、ほかにどんな道があるのかを考えるほうが建設的でしょう。

息子さんは都会嫌いで、おしゃれもお酒もギャンブルも嫌い。でも、家の中のことはちゃんとやるような子。私が思うに、彼は、世の中の汚いものを見たくない気持ちが強い人なんじゃないかしら。ノイズまみれの外界、人の悪意・ねたみ・ひがみ・そねみ、見栄や虚栄心や権謀術数……、そういったもののすべてが耐えられない人だと思うの。だから、人々のどす黒い空気が渦巻く都会から離れ、心許せるあなたたちとの穏やかな生活を選んでいるように感じます。家のお手伝いをやるくらいだから、怠け者でもない。素直すぎるから、優しすぎるから、世の中の汚い部分をやり過ごすことができないのだと思います。

誰にでも、向き不向きって必ずあるでしょ。バラが好きな人もいれば、水仙を愛する人も

いる。コンパでオネエちゃんのお尻を追いかけ回すような人に、息子さんのような生き方をしろというのは無理な話。ならば息子さんに、人間関係のドロドロの中で攻撃的な人生を歩むことをすすめるのも間違っていると考えるべき。息子さんのような人は、在宅のままでき、外界との接触を避けられる、過剰な対人関係に心を磨り減らす必要のない仕事をするべきだと思います。家のことをなんでも手伝ってくれる子だから、家庭的な方面で才能を発揮する可能性もある。自分ひとりでできる趣味を仕事へと展開できないだろうか、と模索するのもいいでしょう。ただ、進む道は本人に決めさせるべきだから、強制はしないこと。将来の参考になるような本などを買ってきたとしても「私たちの老後の趣味のためなのよ」とでもいって、彼の目につくところにさりげなく置いておくくらいでいい。彼が自分でその本を開き、自分でやりたいことを見つけるのを待つこと。彼が自分のしたいことを見つけたら、最初は友達感覚で手伝うなどして、理解と協力の姿勢を示してあげることが大切です。

いま1度、ちょっと視点を変えて自分たちのことを見つめてみて。家族3人がお互いに思いやりと愛情を持ちながら暮らしていけるのは、何より幸せなことですよ。もちろん、子を思うあなたの気持ちもわかるけど、嘆いたり心配する必要はありません。彼にとって、何が必要なのかを見極めさえすれば、道が開ける状況だと私は思います。

Q46 幼少期のトラウマを解消したいのに、うまくいかずに焦ります

弟が重度の知的障害で、両親は子育ての疲れやイライラを私にずっとぶつけてきました。「両親は私が嫌いなんだ」という気持ちから私は対人恐怖症になり、現在までできてしまいました。両親は私の性格を直すため、さまざまな習い事をさせてくれましたが、効果はありませんでした。先日、両親と絶縁覚悟で、私がどれだけ苦しんできたかを母にぶちまけましたが、母は「そんなつもりはまったくなかった」と驚くばかりでした。私の考えすぎ、被害妄想とわかり、これから家族を大切にしたい、と決心しましたが、子供のころの両親の怒りの形相が記憶から離れずに苦しんでいます。

（34歳・ホテル勤務）

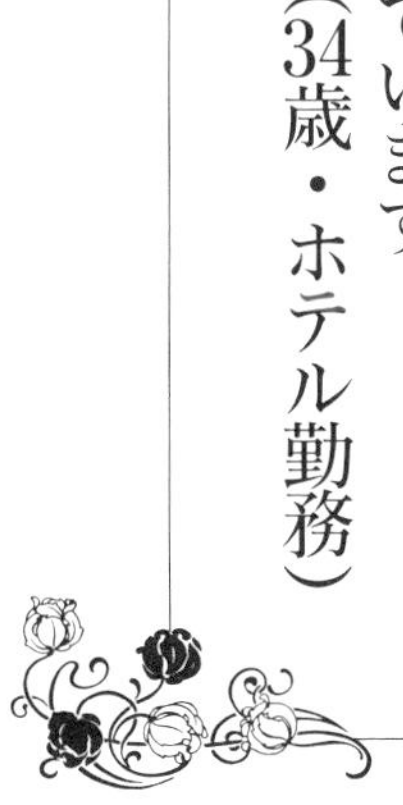

例えばお天気なら、台風一過で秋晴れがやってくることもあるけれど、人生においては、わだかまりのすべてを水に流して、きれいさっぱり忘れることは難しい。ものには順序ってものがあるし、誰だってそうそう簡単に、仏様のような心になれるわけじゃないもの。あなたもいま、行きつ戻りつを繰り返している状況だけど、実はそれこそが、必ず通らなくてはいけない道、つまりは通過儀礼として必要な過程なんですよ。いまは努力している姿があるだけでよろしい。順調にいっています。

重い知的障害のある弟さんがいるということだけど、ご両親って、いまのあなたくらいの年には、もうあなたたち姉弟を育てていたんじゃないかしら。あなたも年齢的に、親の立場に立ってものを考えられるでしょ。当時のご両親の気持ちだって理解できるはず。家の雰囲気って、軽い風邪ひきがいるだけでも重くなってしまうもの。五体満足な子供を生んでも、虐待したり殺しちゃったりするような親も、世界中にたくさんいる。それなのに、ご両親は弟さんを愛して、そして育ててあげたのです。それだけでも立派なもんですよ。並大抵の苦労じゃなかったはず。「どうしてこの子が」って気持ちにもなっただろうし、先々のことを考えて胸をふさがれるような気持ちになったことも1度や2度ではなかったでしょうね。将来を悲観して、子供を道連れに心中しちゃう家庭もあるのよ。新聞とかでよく見るでしょ。

ご両親にしたって聖者でも完成された人格者でもない。人間だもの。間違いもあっただろうし、あなたをハケ口にしたことも、確かにあったでしょうよ。でも、それがすべてではない、ということね。あなたが結婚して子供を生んだとき、同じことができるかどうか。重い知的障害のある子供を、愛し抜いて、育てあげることができるかどうか。そう考えたら、「ああ、そうだったのか」と、当時は見えなかった親の気持ちが見えてくる。納得がいくこともたくさん出てきます。多くのことがわかるにつれて、あなたの心も変わっていきます。いまは、とにもかくにも一歩を踏み出すことはできている状況ね。それでいいんです。いい線いってます。

習い事ばかりさせられていたことを、いまのあなたはどう思っているのかしら？　子供時代のあなたにすれば「満足に遊ばせてもくれなかった」と思ってたのかもしれないけど、私があなたの両親の立場なら、「弟は、自分から何かしたいと思ってもできない。私たちも知る術がない。だから上の娘には、健常者ができることのすべてを体験させてあげたい。五体満足で生まれて、自分で選び取る人生に、多様さと、可能性の広さがあることを幸せに感じてほしい」と考えます。加えて、ケガの功名で「私はかまってもらってない」と思うことで、親離れもできた。「自分を守るのは自分」と思えるようになった。本来、誰もがそう思わなければいけないんだけど、子供時代に溺愛された人たちって、実感として理解できないんで

すよ。年齢的な順番でいけば、親のほうが先に死ぬ。精神的に自立していない人は、親が死んだ後、生きていけなくなっちゃうの。自分ひとりで立つ方法がわからないのだから。

「いま、両親が死んだら、私はどうなるか？」と想像してごらんなさい。警察かどこかから「ご両親が弟さんと心中されました」と聞かされたらどうなるか？ 「もっと早く許しておけばよかった」と思うはずよね。あなたが恨み言をいえるのも、ご両親が生きているからこそ、ってところもあるの。あなたが胸の内をぶちまけたとき、お母さんは「そんなつもりじゃなかった」と驚いていたんでしょう、いじめていたのでも、憎かったわけでもないということは証明されたのよね。同時に、お母さんの中では「娘に誤解されていた」というショックと、「自分たちのせいで娘を苦しめた」という自分を責める気持ちが渦巻いている。あなたも苦しんできたけど、ご両親だって無傷ではない。そこに気づけば、あなたはもう一段、先に進めます。

愛情がないために、あなたに厳しく当たっていたのではないのは、あなたももうわかってる。ただ最初にいったように、こういうことは、階段を3段、4段、いっぺんに飛ぶようには進めないものです。昨日より今日、今日より明日で、少しずつ向上していくほかありません。正しい道を歩いているのは間違いないから、結果を急ぎすぎないようにね。まだ30代と若いけど、10年後、20年後にしっかり見えてくるものがあるはずです。

Q47 家族の死が日々遠い記憶になる私は、何かが欠けているのでしょうか

結婚して10年の間に、祖母が病死、弟が交通事故死、父が自殺しました。3回とも驚いて、悲しんで、泣きました。でも、クヨクヨしてばかりもいられないので、働きながら、優しい夫と子供たちと前向きに生きていくよう努力しています。いまでも落ち込んでいる母を見ると、私は情が薄いのか、と思うのです。父が死んで3年たちましたが、もう時々思い出すくらいで……。私は何かが欠けているのでしょうか。もし欠けているなら、どうすればいいでしょうか。

（33歳・会社員）

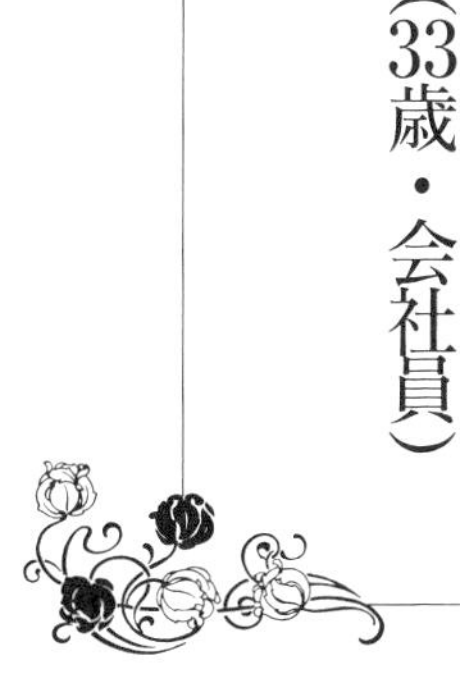

人間は、人形じゃありません。生きてるんです。だから、誰もがいずれは消えていくものなのですよ。10年間に3人が亡くなった、っていってもね、人生の本質と、〝いつ起こったか〟という時間的な事柄は、まったく関係のないものです。人生は波瀾万丈（はらんばんじょう）なのが当たり前。それが人生の本質なのですから。人間なんだから病気もするし、ケガもするし、災難にもあうし、精神的につらいことだって降りかかってくる。自分ひとりでもいろんなことが起こるわけでしょ。まして家族全員に目を向ければ、いろんな事件が大波になって1度にやってくるのも仕方のないことでしょう。

一家そろって元気で、みんな仲が良くて、死ぬことはもちろん、誰も病気のひとつもせずに暮らしている、無病息災・家内安全を絵に描いたような家族が、どこにあるというの？〝絵に描いたような〟という言葉どおり、そんなバケモノ家族、本や映画の中にしかいませんよ。アダムス・ファミリーじゃないんだから。そんなオバケ一家なら、千年だって2千年だって変わらずにいられるんだろうけど、人間なんだから、悲しいことだけど、死んでいくのが自然なことでしょう。

情が薄いってことを心配しているようだけど、そんなことはない。誰だって愛する人が死ねば、泣くし、わめくし、悲しいわよ。絶望の淵（ふち）に立たされたような気持ちにもなるでしょ

う。私も、家族にしろ、愛した人にしろ、たくさんの人が亡くなったから、よくわかる。でも、〝去る者日々に疎し〟でね、人間っていうのは、3年もすると、いい思い出だけをろ過して残して、悲しくて悪い思い出を忘れよう、消し去ろうとする自己防衛本能が働くの。その機能は、人間が悲しみに押しつぶされずに生き続けていくために、もともと与えられているものなのよ。

5年、10年と、思い出しては泣くばかりの日々を送るのが、情に厚い人の姿だと思っているようだけど、そんなことでは生きていけませんよ。わが子が死んで、身体や神経を壊しちゃったり、後を追って自殺するような母親もいるけど、それは、自己防衛本能をストップさせてしまった人たちです。愛する人との別れを経験しても、人間が生き続けていけるよう、せっかく与えられた機能をいかせなかったんです。その機能をあなたはいかしているということ。それこそが自然なことなんだから、別に何かが欠けているわけでもなんでもない。自分を責める必要はまったくありません。

あなただけじゃなくて、身内や愛する人たちとの別れは、誰にでもやってきます。生き別れ、死に別れ、いろんな別れがある。でも、〝さよならだけが人生さ〟って言葉があるように、人生とは別れの繰り返し。そのたびに、自己防衛本能を働かせて、悲しみをひとつひとと

っ乗り越えながら、人は生き続けていくものなのです。泣くばかり、嘆くばかりが残された者の務めではありません。

亡くなった人たちを偲びたいのなら、泣いたり落ち込んだりするよりも、折々で思い出してあげて、お墓参りをするべきです。仏壇に手を合わせるくらいなら、毎日でもできるでしょう。お線香をあげて、安らかな心で手を合わせ、その人の冥福を祈りなさい。そのときに、悲しみや暗い気持ちではなく、明るく、いい想念を送ってあげることです。

「こちらも元気でやってますから安心してください。あなたも、早く成仏して、気高い清らかな魂になるための修行を、そちらでも続けてくださいね」

と念じながら、微笑んで手を合わせること。亡くなった人たちに対して、それが何よりの供養になります。

おわりに

何が本物かを見極める目と、自分自身も本物であろう、本物になろうとする心構えがあなたを強くしてくれます。

50年前の、たった5年間の戦争が、2千年にわたる日本の文化と美意識の歴史を粉々にして以来、ニセモノの価値観がずっと日本を覆ってきました。

どんなに欲をかいても、稼ぐお金にも使うお金にも限りがあります。

どんなにものがあふれていようと、美しくなければ心は満たされません。

いたわりや敬意がなければ愛は生まれません。

他人様に求めても、帰ってくるものは少ないのです。

求めることが当たり前になってしまった心、ニセモノに染まりきってしまった心に平安は訪れないのです。

おわりに

ニセモノだらけ、嘘だらけの世の中で、本物になろうとするのは容易なことではありません。2日や3日で身につくものでもありません。

しかし「そうなりたい」と考えている人と、いない人とでは、天と地ほどの開きがあります。

私はこの本で、「本物になるためにはどうすればいいのか」の第一歩、イロハのイを示して差し上げたにすぎません。後は、みなさんが、尊い菩薩のひとりとして、自分自身を鍛え、高めていくしかないのです。

強く生きるための答えは、あなた自身の中にあるのです。

2000年8月　愛を込めて　美輪明宏

美輪明宏（みわ・あきひろ）

長崎市生まれ。国立音大付属高校中退。17歳でプロ歌手としてデビューし、'57年『メケメケ』、'66年『ヨイトマケの唄』が大ヒット。'67年、劇団天井桟敷旗揚げ公演『青森県のせむし男』『毛皮のマリー』（寺山修司 作）'68年『黒蜥蜴』（江戸川乱歩 原作、三島由紀夫 脚本）に主演。以後、演劇・リサイタル・テレビ・ラジオ・講演活動などで幅広く活躍中。'93、'94、'97年に『黒蜥蜴』を再演。'94、'96年に『毛皮のマリー』再演。'97年秋には13年ぶりの再演となった『双頭の鷲』のエリザベート王妃役に対し、読売演劇大賞優秀賞を受賞。

'99年に叙情歌集CD『日本の心を唄う』をリリース、'00年に『ヨイトマケの唄』などを収めた伝説の名盤『白呪（びゃくじゅ）』をCDで復刻。

主な著書に『紫の履歴書』『ほほえみの首飾り』（ともに水書坊）、『人生ノート』（パルコ出版）、『天声美語』（講談社）。

強く生きるために

2000年10月２日　１刷発行
2008年11月19日　29刷発行

著　者　美輪明宏

発行者　伊藤　仁
発行所　株式会社　主婦と生活社
〒104-8357　東京都中央区京橋3-5-7
電話　03-3563-5121（販売部）
03-3563-5130（編集部）
振替　00100-36364
印刷所　大日本印刷株式会社
製本所　株式会社若林製本工場

ISBN978-4-391-12469-9 C0077